海外漢文古醫籍精選叢書·第二輯

2011—2020年國家古籍整理出版規劃項目
中國中醫科學院「十三五」第一批重點領域科研項目
——我國與「一帶一路」九國醫藥交流史研究（ZZ10—011—1）

新鐫海上懶翁醫宗心領全帙 伍

（越）黎有卓 撰

蕭永芝◎主編

北京科学技术出版社

圖書在版編目（CIP）數據

海外漢文古醫籍精選叢書·第二輯·新鐫海上懶翁醫宗心領全帙　伍/蕭永芝主編. —北京：北京科學技術出版社，2018.1
ISBN 978－7－5304－9226－0

Ⅰ. ①海…　Ⅱ. ①蕭…　Ⅲ. ①中醫典籍—越南　Ⅳ. ①R2-5

中國版本圖書館 CIP 數據核字（2017）第208358號

海外漢文古醫籍精選叢書·第二輯·新鐫海上懶翁醫宗心領全帙　伍

主　　編： 蕭永芝
責任編輯： 張　潔　周　珊
責任印製： 李　茗
出 版 人： 曾慶宇
出版發行： 北京科學技術出版社
社　　址： 北京西直門南大街16號
郵政編碼： 100035
電話傳真： 0086-10-66135495（總編室）
0086-10-66113227（發行部）　0086-10-66161952（發行部傳真）
電子信箱： bjkj@bjkjpress.com
網　　址： www.bkydw.cn
經　　銷： 新華書店
印　　刷： 虎彩印藝股份有限公司
開　　本： 787mm×1092mm　1/16
字　　數： 488千字
印　　張： 41.75
版　　次： 2018年1月第1版
印　　次： 2018年1月第1次印刷
ISBN 978－7－5304－9226－0/R·2387

定　　價：980.00元

海外漢文古醫籍精選叢書・第二輯

新鐫海上懶翁醫宗心領全帙　伍

(越)黎有卓　撰

新鐫海上醫宗心領全帙卷之二十五

小引

書云萬性之面目雖殊其臟腑陰陽則一故以治百病之法究竟根本猶治夫一病以治一病之法觸類旁通猶治夫百病蓋百病之名目雖異總不外乎氣血虛實之中陰陽盛衰之理然氣血用也陰陽体也經曰人禀陰陽之全體以生陰虧陽離應事模糊陰平陽秘精神乃治陰離陽缺精神乃絶人之生老病死靡不關於二氣也至於治療之旨則日知其

要者一言而終不知其要流散無窮又曰識得標只取本治千人無一損此亦知要之義也第以先推吾心教世恐人不曉多立文詞分方辨症然方書愈出義理愈繁學者既難於理又難於理外之意茫然如涉海問津自取卷半之惑集臨症二十年來閱歷已深粗知其要欲貸後輩使之有徑可於有堂可升乃曲尽精思遍閱方冊去冗還真會已意見摘精撮要以為醫中關鍵治療指南寔皆傳心奧妙百病之提綱知要之深者也是引

醫中關鍵卷

恭朝景興萬萬年之四十一年仲春穀日就稾

海上懶翁黎氏引

目次

目次終

醫中關健卷

海上懶翁黎氏纂輯
後學唐廍武春軒奉鈛

中風

一中風卒倒之症，得之陰虛者十之七八，陽虛者僅一二耳。因於內虛生風者居多，因於外感生風閉或有之。縱有風候，亦不過發病之端。若見閉症（牙關緊急，手足握固）而身溫，猶可暫用通關化痰之藥治之，醒後隨陰陽虛寔方用調補。若見脫症（口開手撒，眼合遺尿）

鼾聲而厥逆此陰亡陽脫之症此寺宜急回陽氣以保生機如不可雜入一毫陰藥與清火消痰降氣之方以速其禍須用大劑參附如中氣弱者加白朮以托住之喘逆加五味以歛納之如此而挽回其陽陽氣回復方可用六味八味十補丸料重加鹿茸鹿膠河車乳粉等藥精血有情之品隨以補虛歸脾十全養榮匀滋後天氣血以間服之倘如勢可參用風藥亦須擇風藥中之潤品如防風秦艽鈎藤天麻杜仲續斷威靈牛膝金銀寄生松節之類更以氣血藥駕驅之方爲穩

當如此不治風而風自息不理氣清熱而痰火自清是衛生之要領

中寒 凡卒倒昏迷四肢冷腹痛腹急嘔吐下痢面青脈沉此爲中寒之症也

一中寒之症每得於外感非寺之寒內傷生冷之物書曰易傷於寒者陽虛可知況於直中乎蓋人身元陽護衛表裏既爲寒邪直中則內之無陽無火不待言而可知若病未至於危者用補中加姜桂附以散寒邪已至厥脫者惟宜參附回陽若中氣虛極加白朮以托住中氣冷極加乾姜以助熱回陽氣將絶者用艾灸關元氣海穴待得陽氣漸旺方可隨而調補

或首末惟以補陽而必濟或参入補陰以化陽或補陰以斂陽然八九分保重陽氣只宜一二分揆陰蓋無陽則陰無以生也

中暑

一夏月卒倒之症書各風暑以爲因火因痰余以爲因氣因虛而得也蓋火能刑金肺耗氣必虛也暑爲陰邪陰盛陽必衰也此內之真陽元氣益不牢固而昏倒且陽虛而火發氣上而痰升安得深指爲火爲痰哉大抵真寒而痰火盛暫宜壯之清之醒後隨症施藥若氣脫陽亡危機備至則惟用参附

以續將滅之火加麥門五味以收耗散之金寔是回生之本倘要途間緊急內宜灌以熱湯外令衆人溺臍中得煖氣透必甦

中濕

一中濕之症外因雨露之所傷內因脾胃之不運雖古法云治濕宜利小便若見關節重痛浮腫喘滿腹脹煩悶昏不知人其脉沉而緩或沉而微細此各爲中濕蓋內因中氣虛者居多切不可滲利徒令耗陰損陽以取禍耳惟宜朮附湯或甘草附子湯如腫滿臌脹者金匱腎氣丸切不可滲利甚是穩當

燥門

一燥症者乃津液乾澁皴（音伸皮細起也）揭不得滑澤滋潤之謂也大凡燥乃火之所致而更甚於火者也雖其本於肺而其源寔由於脾與腎也故治火尚有可用寒凉之處至於治燥惟宜投以潤藥養血生津滋陰潤燥而已書曰治風燥宜養血治熱燥宜壯水故四物歸脾養栄爲治燥之輕症六味加二冬牛膝五味枸杞班龍莚蓉乳粉爲治燥之重症若火虛火炎而燥者則用八味凡雖有桂附亦無礙蓋非此無（以引火也）

火門

一火症者乃元氣不得其平而爲火也夫氣卽火火卽氣得其位則爲養生之元氣失其位則爲壯火蝕氣反爲元氣之賊然更有虛實之分實火者有形之火虛火者無形之火六脉洪數有力者名爲實脉大脉沉微緩弱者名爲虛脉大要實火可瀉如風寒外來則辛涼以散之如濕中生熱則滲洩以清之虛火可補如土虛不能藏陽則四君補中如血衰陰虛火動則四物歸脾養榮如水衰火炎則六味丸加麥膝味

如真火虛虛火炎則八味加味滕雖然寔火可瀉芩連知柏之類亦宜瀉於盛寺以暫抑其亢炎耳若熱勢漸平更因所因調之救本可也不可以火去爲期身涼爲度火去氣亦從人可無氣乎

傷風

一傷風爲輕症凡易傷風者衛氣必虛肺主皮毛故傷風則咳嗽鼻塞聲重有汗惡風爲顯症初發不宜過於發表惟宜解肌未可驟補雖因於虛亦宜和解若大虛者亦不可不以補爲攻如新病則參蘇飲爲最佳久病則六味丸料倍茯苓

加陵麥味寒甚加附子誠爲祛風逐寒退熱止咳之聖藥

傷寒

一我嶺南無傷寒病症絶不可以北方傷寒方六經分治之法凡病者皆感寒也大要初發惟宜輕揚解表如防風姜活獨活白芷細辛紫蘇葛根葱白生姜之類足以濟之麻桂切不可用更宜以血藥鎘軀（血藥即芎歸熟芍也）蓋治傷寒以救陰爲主余

新製解表三方和裏六方可以畢之矣

傷暑

一夏月相火令行則暑爲陽邪而方書反云暑爲陰邪者蓋以夏月伏陰外雖熱而內寒故行役勞動得之爲陽邪爲有餘深居靜避得之爲陰邪爲不足夫火能刑金熱則勝氣故治法宜先保肺氣又熱能傷陰必真水衰津液耗更宜滋陰壯水香薷各爲夏月之良方若氣虛者切不可妄用如清暑益氣湯亦爲穩當也但能建功於未甚耳惟生脉之保肺六味之滋陰生津止渴壯水制火誠滋水潤金之妙劑

傷濕

一濕之症有外感雨露之湿有內傷生冷之湿

宜上

有脾胃不能運化而生濕濕鬱則熱爲濕熱也又有因於陽虛則寒爲濕寒也其症以身重頭疼如裹發黃數者皆濕症之顯兆其治法以利小便爲要不可發汗然嵐瘴之濕又宜先汗之外入之濕則不可滲利以虛陽耗陰惟內生之濕方宜滲利又當兼用風藥以風能勝濕也故五苓散乃治內濕之要藥然亦能於未甚耳倘至腫滿脹膈惟有金匱丸方可求生

破傷風

一凡破傷風之症因破傷肌肉皮膚之後與癰疽潰後及婦人血崩防護不謹爲風所感蓋失血則筋枯

肝統筋風先入肝風扇火故筋急而爲抽搐口禁甚至角弓反張此是最凶之候若體壯須宜暫散風邪而後補大虛者更見脫症先宜参附回陽次以水火藥如六味八味固其根本間以氣血有情之品如茸膠類滋其化源更宜保重胃氣方可保萬全

五痺

內經有筋骨肌肉脉皮五痺之分然總之不出風寒濕三氣爲之耳風勝爲行痺其痛走注不定寒勝爲痛痺其痛苦楚關節浮腫濕勝爲着痺其痛在一處終始不移久不去則爲麻木不仁大抵寒則痛風則掣濕則腫治風須

宜下

養血治寒須補火治濕須健脾雖用風濕之劑尤重用氣血藥以監制之然其要更在肝腎二家補精血之源以爲筋骨之用此皆由內虛所致雖有風濕之名不可專用風濕之治至於麻木不仁則桂附二味尤爲對症之藥水火二家乃是求生之本經言春為筋痺夏為脉痺仲夏為肌肉痺秋為皮痺冬為骨痺

積聚

一積聚之症多得於風寒外侵七情內襲其候皆爲有形之物以不移處爲積屬陰難治無定位爲聚屬陽易治古法有積名肝曰肥氣心曰伏梁脾曰痞氣肺曰息賁

胃曰奔豚又有癥瘕痞癖痃之名又有六聚之義分名該症繁演多端然總不外乎元氣虛中氣弱健運之職乖戾邪得乘虛而據之丹溪又有左右中之分此其大畧也不過痰與食積死血而已治之者亦不必別何形狀作何症名以攻爲補於初病氣壯以補爲攻於久病大虛攻補兼行於客彊主弱始終當保胃氣使飲食日進爲能事悉矣余嘗治積病前醫用氣血藥與消導藥而無功乃以八味丸料腹熱盛倍加牡丹水邪盛倍加苓澤陰虛倍熟地山藥脾困倍茯苓山茱

火虛倍肉桂附子更入五味納肺氣牛膝降濁陰脹腫加車前無不取效倘中氣甚弱則間以胃藥如参姜朮草之類蓋眞火固佳丹田臟腑無不克勤乃職此火安其位萬象泰然雖大病之臟腑猶可氷消何况痞積之小患乎

蟲病

一諸虫之害人名症甚多除勞虫十八重外則無非因於脾虛而內爲濕熱所化或云人身小天地諸虫依之猶覆載之也且人之有此亦賴其消化五味雖然人氣旺則脾胃旺腹中和煖食入即化何物能留蓋因虛而有之也

夫人身之有虫猶樹木之有蠹枝葉自見痿黃欲灌溉之必先去蠹若不去蠹徒滋潤之終難茂盛故治此者當急去虫虫去則臟安而易受補其藥不過川楝錫灰使君子榧柳雄黃雷凡蕪荑鶴虱白礬苦楝根榴根胡椒乾漆百部之類倘勢在極虛則先補之元氣漸旺則又逐虫虫去又補蓋虫症乃有形之爲害非如無形之疾病而可以陰陽之法水火之方氣血之藥方可建功

痔漏　一痔爲輕症漏爲重症方書有五痔之名牝牡

氣血凋又有腸風痔雌雄痔脉痔究其源則由於風燥成於濕熱故陰虛而火寔所致由於酒色過度與甘肥所生然痔寔而漏虛治痔惟凉血清熱治漏則凉血清熱燥湿兼温散耳且治漏尤宜先要補藥以參芪朮芎歸爲主秦艽槐角連翹土貝母爲佐大畧則潤燥疎風瀉火和血而已倘大虛則補之余於虛中寔者則從古法治之虛中虛者則用六味凡料倍熟地以滋水潤燥益牡丹以清火疎風眞陰既壯則陰血自生而病自除書云莫治風莫治燥治得火寺風燥了正

謂此也若漏久精血虧竭必難益重附桂以療之

霍亂

一霍亂之症多得於夏月外感濕熱風暑內傷飲食生冷陰陽痞隔清濁相干不能升降甚則轉筋入腹卽死况吐則亡陽瀉則亡陰此係陰陽亡脫之機爲五奪之最然乾霍亂上則不吐下則不瀉霍亂轉筋厥冷腹脹疼痙殺人甚速經曰痛則不通刺青筋括手足亦行氣血之意也用熱薑便入燒塩三飲以吐之塩漏上溺泄下欲中通也或潑塩吐之亦妙且治霍亂之要藥無如霍香陳皮以行氣而不耗氣也

泄瀉

一泄瀉之症乃小腸之水不能滲出與穀氣併歸大腸而瀉故瀉則小便不利明矣其症有風暑燥濕火寒痰熱食之殊然寒瀉多熱少勿以渴飲便赤為寔熱只推形寔脉寔傷食強食為寔治之惟以滲濕燥脾為主如四苓五苓之類瀉甚則加訶蔻八症之外又有三虛飲食為脾虛色欲為腎虛忿怒為肝虛然肝瀉間或有脾瀉常多治宜滲燥更有補脾之陰以與坤柔生物人多不識燥用辛溫燥濕助火消陰脾臟漸絕而死故久瀉大虛之瀉尤以補腎爲要領腎爲胃關亦一身鞏固之關開竅於二陰閉藏主蟄之司不求水火之眞藥八味凡料其可得乎補水則滋坤柔

之德蓋火則助乾健之功況釜底加薪五穀其有不蒸腐者乎書云虚寒之瀉本非水之有餘寔因火之不足本非水之不利寔因氣之不行五苓散之能非獨苓澤之滲利妙在肉桂爲之氣化也

痢疾

一痢疾多得於秋時由暑月鬱熱飲冷貪凉所致豈可專指爲熱而率用黄連乎此痢本有寒熱虚寔也經云滯下則其停積之義可知是以見症積物欲下而氣滯不得與之下乃爲裏急後重經曰通因通用故治此者要不以

通科推蕩於初起爲首務寒以熱通用巴豆熱以寒通用大黃偏遇症之虛者亦宜先消導通之然後方可議補大要以扶脾保胃爲主若病久大虛者更宜峻補脾母以急扶根本本固雖不治病而病自息如八味凡料加兔絲破固是也

脫肛

肛卽大腸頭每因於久痢洞瀉與啼哭努力而脫也亦有氣虛血虛氣熱血熱之分治者虛則補之熱則清之氣以升提爲最如升麻甚捷故元氣下陷用補中湯既得升提又兼補脾肺氣虛不能閉藏用八味加破固每能取效其外

用敷薰塗洗諸家秘方雖多效驗終不越於補之以柱之可也

燥結

一燥結之症外來爲胃寔內起爲胃虛故有熱冷風氣血之五秘病狀雖殊總之津液乾枯腎主五液耗損眞陰血液少而燥結矣故燥病無不因於眞水枯槁不潤之義也書曰大腸得血則潤亡血則燥治燥之法惟宜清火補血生津潤活爲事此皆後天之輕症則可耳若化源衰損眞陰消耗病在先天根本處寔非潤燥湯滑腸湯可治之惟以六味倍熟加蓯蓉白蜜人乳方可成功矣

噎塞痞滿悶　按此五者無不因於氣之爲病也噎塞乃氣滯初起之端痞悶乃久滯不散之象其症有痰滯飲食濕熱之殊古方用苓連枳寔泄之厚樸半夏生姜散之苓澤滲之參朮補之然其要在脾胃健運則氣無不行滯無不消不特此也又有血病而滿經云濁氣在下則生飧泄濁氣在上則生䐜脹東垣曰以血藥而治滿病人所未知正謂此也此亦補脾陰之義也又有先天祖氣虛氣不歸源而爲逆滿更非氣血藥之可及惟有八味加牛膝五味以納氣歸源何有上塞之患乎

呃逆　一呃在中焦聲短小而易治呃在下焦聲長大而難治要之諸呃逆而上冲者皆屬於火火即氣也氣之所鬱而發聲已明矣然火有真假氣有虚實氣鬱而塞則開鬱而行氣自愈丁香柿蒂是矣若氣之虚必不能歸源多有奔逆而上則引陽從陰而歛納之惟八味加牛膝五味方能閉藏非導氣之藥所能及也若至陰亡陽脫火勢炎上而力欲竭者惟參附加五味大劑峻投以圖萬一舍此無别法矣

嘔吐　一嘔吐者皆屬火氣上炎其中有胃熱有寒蟲有痰隔有

寒濤有遊氣有蚘吐有注胎虛實之辨又有氣積寒之三因古方用半夏生姜陳皮為正藥然此但治表寔氣壅耳若胃虛則小半夏大半夏湯為穩更尤重生姜為嘔家之聖藥且吐則津液耗竭切不可議為寔熱投寒涼以致害也又有乾嘔諸藥不效仍以五苓湯利便治之經曰治乾嘔以利小便為主蓋治節行則肺氣下降大要上沖皆為火然火有虛寔之分食不入是有火也食入反出是無火也此虛寔治法可以盡之矣亦有虛寒而吐者切不可用半夏陳皮用之必發汗亡陽惟姜附以溫中五味以歛熱方為穩當

噦氣　一噦者噦噦作聲似惡心而有聲似乾嘔而聲

小多見於久病危候屬胃寒者多屬熱痰食者罕有凡發於危寺乃陰氣已竭陽氣無依沖逆而作雖見於胃而本於腎聲短爲胃火易治聲長爲陰火難治連發易治半寺一發難治寔則丁香柹蒂與辛凉之品虛則八味加牛膝五味雙救陰陽之相離以納氣歸源庶可見效經曰病深者必發噦是也

噯氣

一噯氣無不因火因鬱氣因隔痰而作也經曰陰氣阻塞于道路或食鬱有熱而爲噯氣亦有虛實之别寔者惟行氣開鬱而安如君黃芩佐以南星半夏陳皮是也虛

則納氣歸源使無逆冲之勢如八味加麥味是也

吐酸呑酸　一吐酸乃熱氣鬱濕中生熱熱鬱症也呑酸乃積久不能出伏於肺胃寒症也然方書言呑酸症病狀不顯此乃胃氣汁溢而殭呑翻胃之漸也當悉去之故吐酸用逍遥散呑酸用歸脾湯皆爲對藥

嘈雜　一嘈雜寔症者不外於因痰因火因積因鬱須以芩連知栢梔子南星半夏陳皮之類以正治之若虛者無不本於陰虛然有後天陰血虛有先天陰水虛陰虛則火動四

物兼清火治之水衰則火炎六味加歛納治之蓋火既熾則五液焦乾而腑閉似痛故此症凡黑瘦之人多有之而婦人常去血又益甚悶有後天氣虛有痰則四君六君湯是也

噎膈翻胃　三者皆起於火原於七情六淫而火熾噎病則飲食至咽門而吐膈病則飲食至賁門（胃之上口）而吐翻胃病則飲食倍常朝食暮吐完穀不化總而言之壯火耗氣鑠陰陰血衰耗津液虧竭氣虛不能運化而生痰血虛不能滋潤而生火然水（者血）之母腎主五液玄府中虛津液不能浸潤胃本

虛則相火無制而炎上火愈壯則消爍愈甚烏得不消枯哉未虛者滋血清火消痰足矣虛者惟六味壯水方能取效書云高年尿如牟尿不治此可見其真陰絕矣

關格　陰平陽秘榮衛周流何能間阻今陽覆格陰使上不得入陰溢關陽使下不得出乾坤之氣不交通而成痞象此陰陽離絕之機爲關爲格書云關格不得盡其命而死定可畏也然病在陰陽須用陰陽之藥誠非氣血隊伍可望成功惟八味凡乃水火之神丹方可急救生身立命之本以圖再造也

虛勞　古法分名設症，繁演多端，愈增其惑。要之癆字從勞而病，則五內虛羸，此癆之成也。本於精虧血損，而形骸神氣俱傷。陰虛則火動，水衰則火炎，肺被火烙而咳血吐紅失聲，雖外症叢生，終不越精血二字。夫精血以腎為海，有生以腎為根，今根本既病，則治之者誠非四君、四物、八珍、十全一般氣血藥敷潤枝葉而可僥倖於其間也。當急求氣血之根本而求之。氣之根，真陽真火也；血之根，真陰真水也。先賢仲景製八味，為水火之神丹，陰陽之聖藥，寔衛生之至寶。經云亟保此身以培生命惟有此也又參以精血有情之品如麋鹿茸膠人乳河車之類水衰者壯水以制火火虛者益火以配水尤當保重於胃氣蓋非水穀無以成形體之壯且胃彊則腎充而精血旺矣此皆治痨之秘方秘旨雖千萬湯丸增其冗誠不在於此乎然又有極難之機古人云醫之所困者惟陰虛之難補久積之難除余常臨此症凡痨而大便燥結者易治大便滑瀉者爲難蓋腎爲資始生氣之源脾爲資生化源之祖精氣一虧腎已憊矣水穀不化脾亦敗矣資始資

生俱困將何賴乎凡痨病諸症係是陰火烝烝計惟救陰使火自降以解精血海焦枯之急然陰藥無非質重味濁之品投於燥者最宜與於滑者甚反且五奪之中惟瀉最速不可緩圖用陽藥以補土則香燥何堪於陰火焦爍之秋用陰藥以救水則凝柔不利於胃氣走泄之際誠懼熱畏寒之兩難也余竊爲憂人之念乃製二方一以補陽接陰一以補陰接陽雙救脾腎於俱脫之機誠法外之遺旨若說命之年數難逃無可議矣司人之命續絶圖全分内事可無憾矣顧高明者察之

不寐　心藏神統血肝藏魄藏血脾藏意生血凡不寐之症皆由陰虛而血少神魄意俱傷故治法用方不外三經特以歸脾湯爲主藥或責於膽膽亦肝也此皆常法常藥施於未甚之症則可耳若無形之真陰虛損陰精不能上奉於心惟六味加黃連肉桂使心腎相交則陰靜血生神安而睡穩矣

自汗盜汗　古法以自汗多屬陽虛以其陽不能外衛也盜汗多屬陰虛以其陰不能內守也然未必然耳汗乃身中之液走洩腠理總能虛人大要有熱而汗此陽爍陰爲陰虛也

無熱而汗此陰乘陽而陽虛也當察其人元氣少虛者乃後天有形之陰陽虛有熱則補血以清火無熱則益氣以溫中元氣大虛者乃先天無形之陰陽虛有熱則壯水以制火無熱則益火以配水使水升火降心腎交通蓋汗者心之液也而腎又主五液故汗症未有不由心腎虛而得也又有小兒盜汗產後頭汗未甚者不可加治蓋小兒純陽無陰產後去血亡陰惟孤陽獨盛宜汗以泄其陽

驚悸怔忡健忘虛煩　驚者有觸而心動曰驚無故而自

動曰悸悸亦恐也驚則卒驚而已恐則多寺不休悸亦怔忡也悸則心中築然跳動而畏懼怔忡則心下跳動惕惕如人將捕之狀健忘虛煩亦此之變也健忘重虛煩輕然總之驚出於心悸出於腎經曰火之精爲神水之精爲志故心藏神而知將來腎藏志而藏已往神之所養者血血一虛則神無所依將來不能知故有觸動而卒驚志之所彊者水水既虧則志不自守已往不能記故雖無動而自悸其治法但使坎中眞陽上奉離中眞陰下交水火既濟則得知將來自無卒

驚藏已往必不虛悸惟八味凡一方誠為水火陰陽之聖藥去病之根无過於此

三消　夫消症係是消耗涸竭之義也蓋萬物資生皆由癸水潤澤于上坎水潛行于下人身中浸潤皮毛榮養肌肉惟藉無形之真水行陰二十五度以灌溉之凡消病雖有上下中之分総不外腎家真水一虛而發也若邪寔者則寒凉以伐火少虛者則補血兼清火大虛者惟壯水以制陽光可也

瘧疾　夫瘧之為病本多於脾或因山嵐瘴氣或因風寒暑濕或因飲食勞倦內傷皆能為瘧古法有三陰三陽之分七

情五臟思怒虛勞痰食風寒暑濕之症有寺刻陰陽之淺深有隔日間日之難易先哲教人之旨無不備矣余退養林泉索居窮僻雖盛夏之寺日出三竿曉煙瘴霧萬里迷漭甚至庭前竹樹葉帶霜珠每至春末夏初風暑相摶或大暑後霜降前濕燥行令居民老少益發瘧疾余初寺率以瘴瘧方法加治或愈或不愈愈者或至旬日然經事已久始暗得凡邪之所湊其氣必虛此百病之來本由虛召彼之居民受生之後因瘧而虛更虛更瘧凡面黃膚暗腹塊者十有七八況

瘧之發則寒熱交爭寒則陰乘於陽熱則陽乘於陰而陰陽
俱虛故真瘧者少似瘧非瘧者多且陰陽者虛名也氣血乃
陰陽之用水火爲陰陽之體故凡症見脉寔體壯傷其陰陽
之用熱多寒少血虛者以四物爲主若寒多熱少氣虛者以
四君爲主並以小柴胡爲佐有雜症宜兼治者則從而加之
蓋寒熱往來半表半裏之症書云瘧不離少陽猶咳不離乎
肺故以小柴胡爲半表半裏之要藥若症見體虛脉弱病在
陰陽之體熱多寒少水衰者則以六味湯爲主若寒多熱少

火虛者則以八味湯爲主益以小柴胡爲佐有雜症惟從本方增損爲妙不可妄行雜亂更看飲食以卜胃氣胃氣強則加常山以截之胃氣弱則調胃氣一二劑以四君六君歸脾補中培土之類須後胃氣復又截之余恒見世人多服補中以治陽虛人久瘧陽氣下陷寒多者則暫宜若過用又有升極則降之義倘遇陰虛熱多寒少孤陽上浮又舉之恐力窮益促其斃何不思容他寒熱一日一發陰陽因鬬則參芪生長償得氣血分哉書云老不可瘧正恐陰陽俱傷之謂也此莫若先急截之病

去隨即補之以其驅邪而正自復耳未有不斬賊而自安民之理故余之治瘧不問老人小兒胎前產後竝能建功於頃刻其常山一味乃治瘧之聖藥余以世用之烝煉不得其法且駕驅無主藥致令服之吐吐多亡陽元氣更耗瘧邪更甚使病者相傳畏如砒毒誠不究之至也余每用以極釅米醋緒透炒熟則斂納之功益見何有湧上之勢乎勉哉活人之偉品久被聾瞶譏謗余特表而出之以明冤騎

血症　血猶水也水性潤下豈有逆行之理逆之者水必

因風血必因氣氣即火故凡吐血者火鬱於胃嘔血者火盛
於胃吐衄血者火盛於上焦咳血者火刑於肺雖發病多端
終不越所因於火也然火之一字最難分別蓋火有陰陽虛
寔之分寔火者陽火也後天之火也有形之火也可以水折
可以濕伏曰寔火可瀉是也虛火者陰火也先天之火也無
形之火也惟從其性引而降之溫而斂之曰虛火可補是也
故寔火者以芩連知栢攻之伐之少寔者以血藥爲君佐以清涼之品循之又有汗
以奪之書云奪汗者無血奪血者無汗若大虛者當求真陰真陽立命之根惟有

六味八味少虛者當責於心之統肝之藏脾之主只以四物八珍十全歸脾然有補土藏陽之法則有四君補中之類且兼得補血每以胃藥收功之秘旨所當深究豈可見熱率用寒涼乎便血者乃鬱於大腸或得於腸風漏血溺血者火鬱於小腸二者病之淺深淺潤血深補水凡止血用黑藥黑屬水以制火

痓痙　書云休治風休治燥治得火寺風燥了故痓痙之病端莫不由於血燥筋枯而彊而搐也夫人身筋絡之能結束于百骸運用于百節者全賴一陰之真水行陰二十五度以灌漑之書云人身之筋何處不屬于肝肝能藏血以濡之

竊之養之一有不及便見偏廢故足得血而能步能握也今之僕勁搐搦甚則反張豈不由於筋之無血養而枯槁剛急乎故症屬少虛者則以氣血藥如四君四物八珍十全歸脾養榮等藥補而調之若大虛者惟以先天水火之真藥如六味八味從氣血根本處以灌溉之方保萬全倘見外症顯候則佐以風藥一二品然風藥皆燥若專以風藥治之則血愈燥而剛痓愈堅矣惟宜潤血補陰為主元氣復而血脈行則風寒濕熱外來之微邪自不能留矣

痰飲　痰乃津液之變如天之露也又曰痰乃氣血之末也有此生則有此氣血有此氣血則有此痰涎以之浸潤經絡長養百骸御得其道則爲良民御失其道則爲盜賊若惡而盡滅之猶治玉而去良工也醫者謂百病皆痰故治痰之屬痰症者太半但景岳云痰本不能生病因病痰自生耳若只知痰而不知所以生痰則痰必愈盛真千古一言又按頤生云脾爲生痰之源肺爲貯痰之器此由脾胃不運而生痰也又按方解云腎水衰不能生血而水泛爲痰則痰多涎沫

既又責於腎也審此二公說論痰之本原曲盡矣又如簡易云天地無倒流之水人身無逆上之痰則知痰之升降本於火也故痰字從炎上之火火即氣也故曰治痰必先理氣氣順則痰自消豈可謂痰能爲病哉其治法本於脾虛不能運化而生痰者則宜補以四君六君補中之類本於腎虛水泛爲痰者則補水以生血如六味丸是也如陰虛發熱而生痰者則當益火之源以消陰翳如八味丸是也此皆余之治驗以本爲標以補爲攻不治痰而痰自除若有寔症體壯而痰熱

壅盛者或攻痰清火散氣亦宜於初病之暫耳切不可蔿滌爲快舉雖能取效於目前而遺害無涯矣

咳嗽（有声无痰曰咳　有痰无声曰嗽）書云瘧之不離乎少陽猶咳之不離乎肺也雖因症之多端總不越乎外感內傷二者分輕重而已求其源則當責於肺子虛補母則又責之於脾然氣逆則咳肺雖爲氣之主而腎尤爲氣之根最當取重於腎也故凡暴感外來之輕症則調停於肺足矣（如參蘇飲寔爲妙藥若內傷纏綿之重症）惟當屬意於真陰真陽方能必濟如有假熱則暫去附子若

寒多更倍之實衛生之至實守命之僊丹無以加矣

喘逆　經曰諸逆上沖皆屬火然無形之火虛火也有形之火實火也火即氣喘之爲病莫不因於氣不歸源而逆奔也若客邪外干或有所因而致此者必氣有所鬱陽道不清以致呼吸急促鬱則開之火則清之痰則消之此皆治寔邪之易耳惟於精血不足氣不歸源蓋肺出乎氣腎納乎氣今腎虛不能閉藏龍雷炎上肺氣受傷有出無入火無水制陽無陰斂此陰亡陽脫之機危在頃刻倘外見顴紅面赤上半

身烙熱此皆真陽外脫之假熱若誤用一點凉藥立見危亡惟宜補而斂之藏之納之而已若左尺脉弱是真陰水衰用六味加麥門五味牛膝如右尺脉弱是真陽火衰虛火上浮用八味加麥味牛膝如二尺俱弱右關寸更弱用至真一氣湯此皆求生之妙藥若勢危迫額汗如珠元神失守惟有大劑參附加五味胃氣敗加白朮救之以圖萬一此寺一毫陰藥絕不可用稍見元氣回復方可間用陰藥以守之耳

哮吼

哮吼之症凡形寔脉寔者必是寒束痰鬱氣結者

而已治當散寒消痰順氣或吐之利之無餘事矣若形虛脉盛必病在根本處真陰真陽水火偏勝或俱虛惟有六味八味加斂納如天門麥門五味火盛加玄參補而引之歸源火降則氣順而痰消可保萬全若徒標施治非惟益病反致喪生

驚癎

驚癎之症凡體寔元氣壯者乃火鬱痰盛之因痰迷心竅而作也當責之於火於痰若內有頑痰膠固在上者宜用吐法在裏者亦須下之體虛元氣弱水衰者責之真陰火衰者責之真陽大要癎之爲病皆係先天後天元陰元陽

不足之症治者須以八味六味河車十全歸脾之類因症增損久服除根若泛行尅伐清熱化痰必成危候矣

癲狂　夫火之精爲神心爲神明之官水之精爲志腎爲技巧之官心知將來腎藏已往故凡病之神志俱傷輕則健忘驚悸重則癲狂無不由於陽精不能上奉陰精不能下交水火未濟而將來已往皆失職矣倘邪塞者清心除熱消痰開鬱定志安神甚則吐下從于古法治之足矣至於虚者直探其真陰真陽之竅究鄭重求之使水升火降方可圖全然

脾胃爲後天生化之源生血生精滋生之本且脾主信癆狂者不信之病也尤當加意於水穀之海故八味六味爲先天水火之神丹歸脾十全爲後天氣血之主藥誠不可缺也此非惟去疾更可延生也

膈食

夫膈食之症乃一向虧損致病之由非一朝一夕之故且又治療差錯醫家非寬中快膈枳寔厚樸檳榔之類必芩連知栢瀉火甚有以丁香桂附妄投執四君六君補胃以致血液日涸胃脘乾枯腎水不能升陽火日起而開格湯水不得入矣此不早滋水生津補血化痰之過也蓋病源於

痼色痰必多且痰因火動滋水所以降火火不炎則痰不生矣不圖滋水救命而專意攻痰則束手待斃此舉世之大迷今立通闢交泰湯遇有此症可合此藥可顯功能但開闢而不多服金水相生補藥不守戒忌終亦敗亡年至六十外不治

通闢交泰湯

大熟地三ツ匆地黃一刄以真沉香一ツ末浸酒伴烝 山茱九分五匡酒烝
山藥一ツ八分用沉香同炒過去沉不用 麥門一ツ去心 牛膝六分酒洗晒乾 茯苓五分
肉桂三分 丹皮九分 澤瀉六分 大附製過三五分
引煎三次細細挑入用茶匙挑入口中嚥下服下一二盃

脾開飲食以好米少少漸與進之不可縱恣厚味或惱怒多心開開之後必去桂附加補骨脂胡桃肉（炒用或五入分）入劑內當服之開服人参化痰之藥如人参當歸白芍瓜蔞半夏曲枇杷葉（刷去用淨蒸姜炒過）茯苓山藥麥門甘草等服之

反胃　古云千金易得一訣難求此方屢驗宜珍藏之反胃之症雖一時不能遽死然治不得其宜亦必死而後已反胃多是腎虛無火故今日食之明日吐出即內經所謂食入即出是也夫食入胃中而吐出似乎病在胃也誰知腎爲胃

之關門腎病而胃始病飲食之入胃必得腎水以相濟而入咽喉有水道之通始能上可輸挽下易運化然腎中無火則釜底無薪又何以蒸腐水穀乎此胃寒而脾亦寒脾虛不能化上湧於胃而胃不肯受則湧而上吐矣方用定胃湯

定胃湯 熟地三两 山茱二两 肉桂三分 茯苓三分

一劑止十劑愈然定此方朝食入暮吐暮食入朝吐者也

諸厥類中風 凡因賊風虛邪之觸而發者名為中風其不過十之一二景岳有非風論亦此意也大凡卒倒昏瞀厥

症乃類中風也有食厥血厥寒厥熱厥薄厥煎厥尸厥痰厥蚘厥氣厥宜從古法分症治之何今人每見卒倒輙用牛黃蘇合如牛黃宜治熱阻關竅蘇合宜治寒阻關竅混用豈不誤乎又風藥多用麝香爲引若氣虛卒倒誤用麝香引風入骨如油入麵終無出期縱有不死亦爲廢人宜痛戒之惟症見手撒口開遺尿等死症當急用參附以挽回之倘用牛黃蘇合入口即斃慎之若於求源取本宜從中風治法

預防中風　凡人忽見四肢有麻木處書曰此有中風之

兆大率氣虛則麻血虛則木與脾氣不固亦有指麻也宜察其人形體黑瘦左尺弦數服六味丸形體肥白右尺微弱服八味丸俱加牛膝杜仲及精血如鹿茸膠阿膠乳粉河車與歸脾養榮八珍十全擇用鬧服大要中風人多得於晚年與斲喪過度者確於虛矣此內起之禍非外來為殃與風何干若用風藥防之豈非攻伐太過倘能使中氣內寔則邪氣無隙可乘此不防之防也

黄疸

黄疸之症乃濕病也譬猶盦麯濕熱腐爛而黄其治法惟宜滲利如四苓五苓之類宜重用陳蒿為主惟有爲

勞發黃切不可誤引爲濕鬱而滲利必致害人病之淺者用八味逍遥散倍加梔子深者憑陰陽偏勝用八味六味加精血藥以救之

疫病

瘟疫乃天行寺疫也古方偏用蒼术爲辟邪之要藥倘遇陰虛何堪其治法勿以一般病用一般藥惟看其人强弱偏陰偏陽而治之亦可依外感通治法然遇非寺之戾氣與饑荒之後擾攘之寺豈不變通而可得乎

大頭瘟

此天行疫厲之氣頭面腫赤身發壯熱氣喘口乾舌燥喉痛宜普濟消毒飲主之寔熱盛用通聖消毒飲若

元氣大虛與久病之後得者宜從滋補調停勿以寒凉爲對病要當憑脉治之如六脉浮數無力左尺更甚宜六味加知栢玄参牛膝六脉沉微右尺更甚宜八味加牛膝五味

內傷

夫內傷症則寒熱間作不齊雖惡寒得煖即解不畏大風而畏小風鼻不塞口不知味出言懶怯手心熱手背不熱頭痛寺作寺止脉則左手氣口大於人迎十倍氣口大於人迎十倍爲內傷人迎大於氣口十倍爲外感如內傷飲食則惡食口不知味倦怠氣短如內傷七情與勞役則神思困倦氣血之病發生治惟以

補中益氣湯爲主久之未解則用後天氣血藥如八珍十全養榮歸脾之類又不見功則繼從先天水火之真藥如六味八味无不立効

飲食傷　飲爲無形食爲有形凡有所傷其來有自傷飲者必水停心下滿悶胸膈有水聲停食者必胸膈痞塞惡食噎氣如敗卵臭大凡元氣寔與病初起者食則消化之如平胃香砂之類水則滲利之如四苓五苓之類若元氣虛與久病纏者惟宜補之如責在後天則補中湯從所傷加消導藥責在先天火則八味水則金匱宜與內傷不進飲食二條參看

飲食不進　凡人飲食不進昧者率以香砂查芽蒼曲亂投此皆剥削行滯之物寔非健脾之功書云脾原以化食爲能今旣不能化食則所能者病豈可更害其能乎益土以乾健爲功坤柔爲德尤砂之土不能生物柔潤之土方能生物脾喜燥而惡濕胃喜濕而惡燥飲食之不能者有二凡腹饑而口不嗜食者此病在陽明胃土當補手少陰心火以生土用歸脾湯口欲食而腹痞不納此病在太陰脾土宜補腎中相火以上烝脾土用八味湯若飲食不美如白朮膏四君湯亦宜擇用

鬱病　大凡諸病宜兼鬱治鬱者氣血不能和暢之謂也脉則上塞下虛多爲鬱病古法有奪之折之達之各有成方與夫越鞠丸治五鬱惟內傷七情鬱結歸脾湯寔爲對藥更有火鬱則寒寔爲難辨其症似脹非脹似痞非痞其候喜怒不常治之惟八味丸使火安而泰

滯氣　氣乃人身元氣生死關頭醫之不可不慎也至於爲病有七情傷氣六淫傷氣凡見症之大寔者乃元氣之大虛也治之行氣散氣降氣破氣乃輕症之用權耳要之氣乃

氣氤清虛之象若雨露之著物雖滯易散苟大用辛香散氣
則真氣虛而濁氣上升非其治也蓋腎爲氣之根凡言虛者
寔不外入味加𦛗味以斂納之

臟脹　夫四症難醫臟居其一寔難中之難也經曰土知
過則壞埠以臟爲名此係中空外浮之象爲計者惟補脾之
陰而制胃亢使土具坤柔之德則壞埠自平然百病皆根㙬
腎宜間服入味凡倍茯苓加車前味𦛗蔗或有濟

脾陰方　白朮一斤　人參十兩　乾姜二兩　炙草四兩　各蜻成膠每服一

茶匙蓮肉煎湯化下

水腫　浮為氣病按之隨起腫為水病按之少陷方書別症用方甚多総其源頭不外脾腎二家而旁及於肺病之淺與元氣尚寔而能食者猶可逐症尋求若既云虛惟金匱腎氣丸寔為治腫之聖藥

腹中水鳴附腹中窄狹　腹中鳴本於水而寔因於火宜二陳加芩連梔子以導之亦有因於寒常作水聲汩汩而下宜補命火以溫之又有脾胃虛宜參朮補之腹中窄狹乃是濕痰鬱

結氣不升降胸中自覺窄狹甚至布息難肥人治宜蒼朮香附瘦人治宜黄連蒼朮

吐瀉　凡有腹痛暴發從霍亂治之如無腹痛而吐瀉者或得於冷食或得於風寒蓋胃虛則吐脾虛則瀉吐瀉則陰陽兩亡之機亦是惡候宜急與附子理中湯甚加附子以生之其勢稍寬則以脾胃藥調補以接之

小便不通　夫熱則淖澤寒則凝泣凡小便閉得於寒者多得於熱者少小腸之能滲出膀胱之能滲入氣化間惟一

水也五苓散之用肉桂亦此意也故治法熱則清之寒則溫之此非水之不化寔因氣之不行倘元氣虛極者用八味加麥味以補水之原車前牛膝以引濁陰下降

大便閉　凡隧道閉塞之為病勢甚危急書云急則治標其法惟利而已然又有以補為消之理人所罕知書云塞因塞用是也大要人以胃氣為主凡藥力之能建功者亦賴胃氣運行雖硝黃之峻利倘無胃氣則投之升許亦不能下一物故病本於脾胃虛極而痞塞者惟重用白朮至二三月佐

以溫中下氣去滯之品如乾姜枳實牛膝薏苡之類方能利之

遺溺不禁不知　經云肺主治節通調水道下輸膀胱然傳送之力皆由下焦氣化蓋腎主閉藏開竅於二陰故遺溺不禁當責之腎陰遺溺不知當責於心蓋心主神明知將來之故也惟有八味作湯倍加益智效見於覆盃

淋病　淋病有五氣砂血膏勞是也蓋由火鬱而成其癃小便頻數欲去不去又來淋瀝不斷甚則爲癃閉病者痛甚壽欲自盡未至大虛者亦宜從古法治之若虛甚與年衰者

竭而思色以降其精惟有金匱腎氣丸寔爲聖藥

白濁　其病多得於淫濕而成其症小便頻數小水如米泔汁病之淺者四苓五苓六一之類亦宜擇用病之深者惟六味加車前牛膝或金匱丸無不神效

遺精自遺　凡壯年盛滿與有所思慕者皆不必治若夢遺症乃心主神明神明無主而夢幻肝主疎泄腎主閉藏肝之陽彊而好疎泄腎之陰虛不能閉藏二者失職所致治當平肝滋腎然亦有所因猶爲未甚獨有無夢而自遺病名脫精

更爲虛極其治法惟有八味凡加破固與歸脾湯去木香加五味子間服歲月調停方能取效

消渴　夫消渴病無不由於火消爍真陰五液涸竭而然大要寔火可瀉虛火可補若甚至飲一溲二惟六八憑脉用之（水衰火炎用六味　火虛火炎用八味）與人乳斑龍熟地膏五味膏皆爲對藥

煩燥　夫煩燥皆屬火煩爲陽症燥爲陰症倦卧不安甚手擲足謂之煩起卧無寧刻手足掉搓神思恍惚或欲坐卧井泥謂之燥書云煩爲輕燥爲重然病已至此寔爲精神耗

竭之機甚畏也輕則調補氣血重則急救陰陽

頭痛附雷頭風頭搖眉稜骨痛　頭痛一症方書辨别甚繁大要不過內因外因而已必有鼻塞聲重爲顯症當以祛風散火之藥治之餘者皆爲本虛若其人形體瑩白畏寒大便不寔輕則爲陽虛重則爲火虛形體黑瘦畏凉便燥輕則爲血虛重則爲水衰其治法輕者氣虛補氣血虛補血俱加清火藥調之重者水衰壯水火虛益火加膝味斂降之

雷頭風症結核塊於頭上而痛者治當消風散熱大要治風

先治血宜補血滋水並加凉藥以抑亢炎頭搖之症因於風火居多其治不外袪風清火補陰又有元陽衰敗而頭搖則色青脉沉急以參附挽回之眉稜骨痛屬肝火亢火生風非外風也治之當補肝血腎水少借風藥以上達之（如升麻防風白芷細辛之類）

頰車病

頰車腫痛方書見症分治甚詳人多誤認爲風爲痰此是係腎水衰火炎之顯症宜六味作湯（加玄參五味牛膝治之）

鬚髮病

鬚乃真陰之應屬腎髮乃血之餘屬心故氣血盛則鬚美氣血少則無鬚氣少血多則鬚少氣多血少則髮

鬢髮焦枯者血不足也脫落頭皮痒者血熱者也病後脫落者血衰損也鬚白髮落所屬雖殊然爲鬚黑髮無出乎滋補精血二者而已又宦者無鬚傷仁血也仁脉環唇而下

耳病

腎開竅於耳凡耳聾耳鳴耳痒皆屬腎虛所致水衰則壯水火虛則益火俱加五味牛膝以斂降之若因風因火耳中暴痛或耳停耳腫用祛風清火之藥不效者宜用六味加知母黃栢五味牛膝外以蚯蚓燒灰存性爲末入竹筒吹之

眼病

人之兩眼猶天之有日月五臟之精華皆上注于

目經云目得血而能視又云亡陰則目盲此目之能明非獨火也眼科有神膏神水之名亦猶燈中之油也油盡則火亦絶方書有五輪八廓之論此多岐也大要白睛屬肺黑睛屬肝瞳人屬腎大眥屬心眼胞屬脾其最要者惟在肝腎而已至於爲病惟有內障外障之分外障者外感內障者內傷治外障惟以血藥與清火祛風止痛消瘴之類治內障火盛者則壯水以制陽光火虛者則益火以消陰翳惟有目盲無睹與瞳人散大瞳人生努肉皆爲壞症

鼻病　肺開竅于鼻肺主皮毛故外感風寒之病以鼻塞可知治宜祛風散寒如參蘇飲之類方書多以鼻淵屬腦熱鼻不聞香臭屬脾余以鼻淵責於脾鼻不聞臭香責於腎蓋脾主痰涎虛不能運而上溢宜四君或歸脾俱加益智仁腎爲氣之根肺氣歸藏於腎腎虛不藏而上壅宜八味加麥味牛膝毋投輙效又有鼻中生瘜肉以神砂爲末擦之自瘥

口舌病　口屬脾舌屬心口舌生瘡皆由火也然有火寔火虛之分寔則瀉之芩連之類虛則補之參芪之屬如中集

醫中關鍵卷　鼻口牙喉病　四十

虛者附子理中湯補中歸脾湯下焦虛者用六味八味加味滋補而降之

牙齒病

齒乃骨精餘花諸骨皆屬腎齒亦屬腎牙床屬胃齒動搖而牙床不病則責於腎牙床腫痛或宣露齒根而齒動搖則責於胃大要胃涼則齒堅熱則動搖治胃火有寔有虛或瀉或補治腎火惟宜補之水衰則壯水火虛則益火而已

喉痺病

人之一身喉爲關津要害處既病治之如救焚極溺勢不容緩其得病之原原於火也面赤口乾舌裂滿飲

便燥六脉洪數有力此寔火也伐之降之若面青身凉顴紅而目睛了了口中滑潤小便清利六脉浮數無力此虛火也惟有補之而已水衰補水火虛補火俱加膝味斂而降之

心痛　心乃一身君主心胞外爲城廓凡有外邪侵犯則自心胞受之寒者宜温丁香官桂熱者宜清檳苓梔子甚則黄連瀉之痰者南星貝母若真心痛手足甲青旦發夕死無有治法余見一方書以大承氣下之以圖萬一此亦有深意誠爲孤注之胆量乎

腹痛　書云痛則不通通則不痛大腹痛者乃胃臓痛也

當臍而痛乃脾胃痛也小腹痛者多得於疝痛也大要因寒因滯因風因濕因停食而痛者多因熱而痛者少治痛之法寒則溫之滯則行之風則散之濕則燥之食則化之陰陽升降榮衛周流則病立已又有陰虛乾腹痛之症時發時止經年累月惟大補真陰或兼補火如八味凡加沉香（小茴宜是爲引藥）

疝痛　方書有七疝之名分症處方亦宜調停於未甚耳若痛自臍下逆奔而上陣陣絞痛死而復甦惟八味凡作湯加膝味吳茱橘核大有神功

腰痛

腰者腎之府腰痛無不本於腎虛其虛中有二腎中真陰虛乃傷精損血所致則宜補水腎中真陽虛乃火衰中寒所致則宜壯火俱用精血品以塡之然又有氣滯腰疼之症或爲風寒所襲或因負重過力遠行努力過度與久坐久卧風寒則散之滯則行之宜補中湯加挾症藥治之挾尻加桂挾寒加附挾滯倍升

脇痛　附胸痛

其病多在肝經然有內外之分內因者七情鬱結也外因者風寒感襲也宜以散結順氣化痰和血平其肝而導其滯治之若因肝血不足肝氣亢極用八味逍遥散加

吳茱若肝經虛甚以乙癸同源之義用六味加當歸白芍以補之

胸痛即膈痛也其痛橫滿於胸中蓋濁氣在上則生䐜脹治法宜益其陽消其陰若徒以耗氣藥益增其病矣

臂痛附肩背痛 夫臂痛因於風寒感襲者宜於古方擇用惟有脾虛氣痛人亦罕知蓋脾主四肢脾屬榮陰血枯氣滯而痛惟歸脾湯加桂心與新方補脾陰皆爲對藥若肩背痛更多得於痰滯其治宜降火行氣而已

脚氣

脚氣之病得於淫濕者多症之輕者宜從古法治

之著見熱勝用至真一氣湯若至冲心喘嘔不休冷氣入腹

惟有救陽方可回生病退惟以八味凡作湯調補一氣湯加杜仲

救陽方　人参一刄　白朮八リ　炙草二リ　五味一リ　炮姜二リ

大附三リ　水煎温服

痿病　夫痿之爲病方書有以爲因風因濕因痰因火而

致大要精枯血竭筋骨不相著而然人身之筋皆屬於肝肝

藏血人身之骨皆屬於腎腎藏精治之之法不外精血二字

用水火藥更重於精血品方能建功

陽痿　夫陽道之彊弱者由於真火之盛衰也蓋火爲之用而其本更在於精血人以辛熱彊陽之法治之此大誤也惟宜均補五臟使五臟之精輸歸于腎腎爲藏精之都會也惟八味丸重加精血品廣服以補之若陰虛倍熟地陽虛倍桂附胃虛加山藥胃寒去牡丹氣虛参湯送脾虛米湯送冬天温酒送夏天生脉送氣虛下陷補中湯送心肝不足歸脾湯送久服不間則臟之精血日長輸歸腎不壯陽而陽自壯矣然又有補胃之法此余自家之經驗也蓋胃盛則飲食

逐日生之精甚不急始能輸歸于腎書云胃彊則腎充而精氣旺胃敗則精傷而陽事衰正謂此也

補虛　經曰陰平陽秘精神乃治病安從來又曰諸病本由虛召然虛有氣虛有血虛有水虛有火虛氣虛責於脾肺血虛責於心肝水虛責於左腎火虛責於右腎元氣在胃元陽在命火然胃爲水穀之海腎爲精血之宗補虛之要領不外脾腎二家蓋脾乃生化之源腎爲立命之本書云治小病而捨氣血治大病而捨水火終無濟也大要病有寔中虛有

小虛有牟虛治法有調補陰陽偏勝者調之 有滋補緩治也 有接補用藥不宜間斷或補陽接陰或補陰接陽 有大補大虛非大補不足以奪病

眩暈

眩暈一條方書皆以風寒暑濕氣血痰別症治之大要不外乎火之一字發天陰血虛則火動先天眞水衰則火炎病之淺者責在後天如養榮歸脾與黃芪補血湯之類火盛者暫加凉藥以少制之病之深者責在先天如壯水[illegible]制陽光用大味地黃丸加麥味以斂夫浮火火盛者少加知柏以暫抑亢炎然其間又有土虛不能藏陽用甘溫之品加

五味斂之藏之虚而虚火熾宜桂附引之歸源此岩治眩之王道也

厥症　凡厥症之發係是無陽無火之危候輕則附子理中重則參附回陽寔無別法凡一般陰藥毫不可近以其陰盛則陽亡耳然有熱深則厥亦深之症此火極似水也惟憑色與脉症方可用藥其色顴紅眼赤口燥舌胎其脉洪數有力其症不甚惡寒大渴浩飲小便澁大便燥其法以大承氣攻之然攻不可不慎須用小承氣試之顯其熱之深方可以大承氣代之景岳公有冷水試之之法甚爲穩當之須斟酌用

跌僕損傷　雖因外觸勢必內傷輕者則先行氣破瘀以消腫止痛次以滋補氣血之藥調之重則獨參湯加童便散之書云宜急服童便蓋以一線血入心即死童便能降火而血自下然此亦從輕料理也若至肢冷脉微元氣欲絕惟宜急用大劑參附以挽救之

厲風　書云厲風乃天刑之病非積惡之深焉能得此戒之勿治然醫本仁術彼畏死而求我亦宜調停以圖萬一蓋其病得於天地間殺厲之氣故其勢酷烈暴悍如此有三因

風毒濕寒毒傳染五死皮死麻木不仁脉死血潰成膿肉死割切不痛筋死手足縱緩骨死鼻梁崩塌與夫眉落眼盲唇翻聲噎皆爲難治古方惟有再造散醉僊散二方爲勝然病在精血求精血之原水火神丹寔爲要藥

○醫中關鍵卷終 光義敬書

同知府領務本知縣黎璣助銀十两

太平府知府阮玶助銀子一笏

南定藩司經歷裴集助戔二十貫

美祿縣郎舍社九品黎文定助戔三十貫

太平府衙吏助戔三貫　太平府隷目高嘉兄助戔三貫

義興府别倉主守阮廷蓮助戔拾貫

南定臬司正九品杜有崇助戔十貫

臬司九品陳啓助戔五貫　臬司書吏陳德誘助戔五貫

南定庯隆興會仁睦阮咸仝助戔四十貫

這欵原咸安縣知縣阮召茇勸助

附四海論

人有四海諸髓皆屬腦腦爲髓海衝脉爲血海又爲十二經之海臟腑皆禀焉膻中爲氣海胃爲水穀海五臟六腑之大源人受氣於穀穀入於胃傳於肺五臟六腑皆以受氣胃升精於肺肺散精於臟腑其清者爲榮水穀之精氣濁者爲衛水穀之悍氣

五臟所主見症虛寔治法

臟者藏也藏諸神而精氣流通也五藏氣絶於內者利不止

肝其克在筋筋者肝之所養故也

實 肝氣盛爲血有餘有餘則怒宜八味逍遙散日十一妙在柴胡薄荷二味

虛 肝氣不足不足則悲宜六味丸料玄二

凡目赤脇痛善怒氣逆筋急拘攣爪甲枯而青欝熱直視頭眩眼花皆係肝症其實虛更憑元氣

心 其充在血脉其主脉故也

實 心氣盛爲神有餘有餘則笑總宜導赤日五七瀉心湯日五八

虛 心氣不足不足則憂總宜歸脾湯坤五十匿心虛硃砂安神主之星二百九

凡身熱汗血胸痛涎溢喜笑發狂心熱則言笑驚悸恍惚舌強

香胎顏色焦乾與大驚及先貴後賤先富後貧而得病者
皆是心病其虛寔惟憑本人之元氣

脾其克在肌

寔脾氣盛爲形有餘有餘則脹滿熱輕則善飢善渴

虛脾氣不足不足則氣少脾熱輕按不熱重按亦不熱熱
在不輕不重之間脾主肌肉也遇夜尤甚總宜八味凡一玄
補中坤一四君坤十歸脾坤十五養榮坤五三諸劑使地上升也中滿者
脾氣虛也虛則肌肉削痰盛者脾氣不運也枳麴查芽皆可慎用

脾陽氣虛見下如夜靜晝劇能食而不能化當益脾氣用八味

凡助命門之火以補之脾陽不足宜四君湯茯兒凡日十五大健

脾凡日卆異功散坤十一參苓白朮散星百八三

脾陰血虛見下如夜劇晝靜腹䐜不能食或涎溢大便乾澁或

因思慮不寐而致虛脹屢用香燥行氣之藥而不效者補

脾陰見下䐜脹急用熟地以潤之白芍以補陰酸棗以醒其氣

脾陰不足補氣須兼潤膩歸熟白芍之類

脾氣虛寒補中更要回陽人參附子之類

息腹中脹滿痞閉不通饑不能食食不能化飽食倦怠昏睡吐瀉湿熱發黄身重血虚生風善憂思不寐痰盛稠黄身熱口甘氣虚下陷小兒慢驚皆係脾家見症本人元氣（其虚寔憑）

肺（其充在皮）

寔　肺氣盛爲有餘有餘則喘嗽

虚　肺氣不足不足則太息日甚總宜補中（坤一）生脉（星二百九回）六味（玄二）等劑凡喘遊咳嗽氣短痿痺小便難水衰乾渴皮焦毛落皆係肺症其虚寔更憑形体

腎其充在骨蓋腎主骨髓也故充在骨總宜六味玄二八味玄一

實腎氣盛爲氣有餘有餘則腸泄

虛腎氣不足不足則無力強坐濕則傷腎熱則按手不熱重按至骨乃熱腎主骨也子亥寺熱甚腎熱則小水熱痛又陰囊赤腫釣痛大便閉澁謂之腎熱

凡乾渴咽痛虛熱骨疼骨蒸腰痛飧泄水腫面青晄白小便頻而秘甚小便虛秘大便燥結精遺心懸懸若饑食後卽饑耳聾氣從臍下逆奔而喘咳顏紅齒旱痛落眼昏不

能遠視因思惧致病頬痛頭面痛毒皆係腎家見症大虛小虛火虛水虛宜按形症

臟病皆補腎論

脾中央土為萬物之母五臟氣化皆稟于此經曰脾腎一敗百藥難施故曰補腎不若補脾又曰補脾不若補腎何也如氣虛而喘雖責於肺然肺出氣腎納氣經曰肺為氣之主腎為氣之本（主本二字已辦甲乙）向非補腎何以納藏如心虛則水火不交而神色敗怔忡生舍腎其誰如脾虛而食不能化

經曰虛則補其母昧則從其心以心是火亦殊不知生土者命門
少火也譬之釜中水穀下無火力其能熟乎經曰少火生氣
壯火心蝕氣補心乎補腎乎使小腸滲出膀胱滲入糞藏傳
入大腸非下焦稟受命門之火將安能乎經曰遇症之虛亟
保此方以倍生命眞萬世朦朧之金鑑也景岳云陽邪之至
害必歸陰五臟之傷窮必及腎可謂陰爲陽基腎爲生本
損傷其到底矣故書云腎水衰則肝失所藏而血燥生腎水
虛則相火不歸源而脾痰起腎水衰則心腎不交而神色

腎水虧則盜傷肺氣（子盜母氣）而咳嗽頻腎水虧則孤陽無主而虛火熾凡脾土虛食不化用八味（玄一）補命門之火以生土即補脾不若補腎之義大虛則補母之法也

六腑所主見症虛寔治法

腑者府庫也出納轉輸之謂腑病欲得寒又欲見人（六腑氣絕於外者手足寒）

焦膽

肝之府也十二臟皆取決於膽（膽）氣升則餘臟從之膽氣不

升則飧泄膓澼（福壽書謂胆爲焦）

寔其氣盛爲有餘腹內胃不安身軀習習宜瀉之

虛焦氣不足宜補之凡見氣上嗌噯氣口苦善太息病後

不寐皆係焦症其寔虛更憑元氣

小膓心之府也

寔其氣寔爲有餘小膓熱三焦乾濇小腹䐜脹宜瀉之

虛小膓不足寒（氣）客之驚跳不寧乍下來乍去宜補之凡見腹

痛膓鳴與泄瀉而小水不利是皆小膓症其虛寔更憑元氣

胃（脾之腑也）

實　胃盛爲有餘

虛　胃虛爲不足宜歸脾湯（坤五）助心火以補之凡饑而不能食嘔吐䐜脹寒盛則噦起熱盛則恐生陽瘈與疝痛亦能反胃其虛實更憑元氣蓋胃熱則土尅水而腎氣弱故恐也面熱者胃病也

大腸（肺之腑也變化糟粕出焉）

實　氣盛爲有餘宜瀉之腸內痛如刀錐刺無休息（腰痛寒痹攣急）

虛氣不足宜補之寒氣客之發泄凡大便燥結是其症也其寔則堅閉虛則血不潤又屎氣甚臭亦其症也

膀胱腎之府也

寔氣盛為有餘熱胞濇小便不通小腹偏腫痛宜瀉之

虛氣不足寒氣客之胞中小便數而多面黑宜補之凡小便閉澁與頻數皆其症也其虛寔當慿形症

三焦心胞絡之府也

寔上氣盛為有餘脹氣滿於皮膚肉輕輕而不牢或小便

濇或大便難是皆三焦之寔也宜瀉之

虛氣不足寒氣客之爲病遺尿或溏利或胸滿或食不消

是皆三焦之氣虛也宜補之凡痞膈責之上焦心肺脹滿

責之中焦脾胃大小便病責之下焦肝腎其寔虛更憑元氣

五臟虛病用藥方大槩凡補方皆推此

心虛硃砂安神丸星二百九　肝腎虛腎氣丸玄五

脾虛益黃丸星八六　肺虛阿膠散星二百七十

五臟熱病用藥大槩凡瀉方皆推此

心熱　单瀉心湯

黄連　山梔　荆芥　黄芩　木通

牛旁　薄荷各五分　甘草　燈心煎服

導赤湯

生地　木通　黄芩　甘草各等分　竹葉煎熱服

凡發熱太盛小便赤澁煩燥多渴用此解之

肝熱　瀉青丸

姜活　大黄煨　川芎　山梔　當歸

龍膽草　防風廿分　蜜凡竹葉沙糖湯下

脾熱　瀉脾湯

白芍　連翹　黃連　薄荷　梔子各一

石羔リ一　甘草三分　治脾熱消穀善饑

瀉黃散

白芷　升麻　枳殼　防風　黃芩各一リ五分

石斛一リ二分　半夏七リ二分　甘草七リ　治唇燥風熱

肺熱　瀉白散

甘草　桑白皮　地骨皮各一リ　粳米百粒易老加黃連

腎熱　瀉腎散

論治并方目 馮先師

寺氣瘟疫發熱頭疼肢体煩痛宜升麻葛根湯

白芍二リ酒炒　升麻　葛根リ各三　炙草リ二　食遠服

邪熱客於經絡肌瘀喘五心煩燥頭目昏痛夜汗婦人虛

勞骨蒸宜人參柴胡湯目六六

虛勞煩熱心下驚悸婦人血室燥涸身体羸瘦宜鱉甲地黃湯目五十八

虛勞心肺蘊熱咳嗽膿血用之能解勞熱調衛知母散目三十一

骨蒸壯熱肌肉消瘦困倦舌紅煩赤盜汗秦艽鱉甲湯目六十九

臟腑虛損身体消瘦潮热自汗將成劳瘵藥宜建中湯見卷三

虛劳憂思過度遺精白濁微热虛煩不安小草湯見十卷

血虛汗多骨蒸劳倦单热口乾自汗盜汗婦人經月不調

腹痛重墜小道澁痛等症加味逍遙散當归 茯苓 酒芍 白术 粉牡

柴胡各一分 薄荷 牡丹八分 炙草炮姜兼治

梔子 姜汁炒黑八分 加陳皮 法

咳嗽潮热往來寒暑便蓋血脐者也一有拂逆之則將軍之

官謀慮不决而血海爲之搖動經曰暴怒陰散爲怒血虛

諸症婦人尤甚此以尤芩固其脾恐木旺則土衰所謂不

治已病治未病也經曰肝苦急食甘以緩之故用甘草經曰辛以散之故用當歸經曰酸以瀉之故用白芍柴胡氣清涼散怒火山梔味苦抑其下行丹皮和血通經所以導血中之氣而無壅塞之虞由之而察其中治肝血之法可謂婉而至矣熱在氣分夜安晝甚口渴便濁或口舌生瘡咽乾煩燥小便赤淋遇勞即發宜清心蓮子飲

黄芩　麥門　地骨　炙草　石蓮

茯苓　車前　黄芪　人參各二　遠志　石菖蒲各一

骨中有热嘔吐咳嗽逆上虛煩不安宜人參竹茹湯

人參一リ五分　麥門　小麥各二リ五分　炙草一リ　茯苓一リ五分

兼治頭疼氣短內热腹心悶乱劳倦內傷飲食失節身热心煩頭疼惡寒陽虛自汗懶言惡食或喘或渴或中氣虛弱不能接血脉洪大無力或痎痢脾虛久不能愈一切清陽下陷中氣不足之症或虛人感冒風寒不堪發表或入房而後感冒或劳役感冒而入房此並宜補中益氣湯坤一急加附子若胃中陰虛者悬用加半夏茯苓各一月　煨姜五リ

大棗二枚截瘧甚效蓋芳倦傷脾心火乘上而肺金受邪脾胃一虛肺氣先絕肺者氣之本芪補氣固表爲君脾者肺之本參甘補脾益氣和中瀉火爲臣术燥濕強脾歸和血養陰爲佐升以升陽明清氣柴以升少陽清氣陽升則萬物生清陽升則濁氣降加陳皮者以通利其氣生姜辛溫大棗甘溫以和荣衛開湊理致津液諸虛不足先建其中中者脾胃是也此湯惟上焦痰嘔中焦濕熱傷食膈滿者不宜服

蒸熱五心煩熱乃心火陷于脾土之中

凡人居處清淨陽氣周密邪不能害若煩勞則陽氣散而爲外感之症風寒暑濕傷陽飲食男女傷陰陰氣不足則內熱乃真陰不足也陰氣有餘則外熱乃假有餘也後天熱症雖有陰陽氣血總不外脾胃陽氣不足無以轉化寒涼禁用凡發熱者陽浮在外裡無火也口乾喜飲者引水自救裡無水也面熱惡寒者是寒鬱也身熱背惡寒者是陽症也

寔雖因勞傷風寒暑熱發爲似瘧或爲夜熱咳嗽不可謂

陽虚此外邪内陷之症也如陰火動者脉弦濇無力外邪内欝者脉弦数有力為别耳治當以柴葛姜防輕揚之品佐芎归人参香附之類面赤氣粗口渴唇腫便閉暴叫掀揭露衣似傷寒症謂之寔熱

虚内傷元氣而發熱者宜補中益氣湯一坤補其氣以提之好色傷陰陰血既傷陽氣偏勝此為陰虚火旺劳瘵之症宜四物湯二坤加知栢滋其陰以降之面色青白唇緩口冷泄瀉多尿夜出虚汗似傷寒症謂之虚熱

一飲食失節日晡發熱口乾体倦小便赤澁兩[illegible]酸痛此等

脾陰虛症宜甘溫之劑生發胃中元氣而除大熱不須謾用苦寒復傷脾血若果屬腎經陰虛則補以甘涼之品凡陰虛發熱之症先天後天混而不分只宜憑脉六脉浮洪無倫兩尺有力開寸無神或浮大乃後天陰血虛宜八物坤四十全坤四之類左尺無力乃先天水衰宜六味玄二大抵小虛宜從後天大虛宜從先天論治陽虛發熱之症責在胃陰虛發熱之症責在腎蓋肌飽傷陽則陽氣虛宜四君補之房勞傷陰則陰血虛宜四物以補之若氣血兩虛則宜

偏補其氣若只惟血虛而氣不虛者忌補其氣蓋氣旺則血愈消也內傷發熱是陽氣內傷不能升達下降陰分而爲內熱乃陽虛也屬在心脾宜補中坤一之類陰虛發熱是陰血自傷不能制火致陽氣升騰乃陽旺陰虛屬在肝腎宜六味玄二

一真水衰則雷火妄熾乃水不能制火故虛火得以妄行只宜六味壯水之主以鎮陽光是補水而火自降若虛中帶寔是宜加炒枯知栢以暫抑其亢炎水甚虛者加麥門五味補而

鬱之著肝火焦烈加柴胡白芍抑而平之火脫只用獨參湯火脫陽先亡而汗脫

一丸陰旁陽竭四肢逆冷脫症具見只宜參附湯如胃敗則加乾姜白朮以托住中氣肺氣喘急加五味其一毫陰藥如熟葉膝麥之類並宜禁之

治法

清熱之法有二初病宜用苦寒以清之病後宜用甘寒以滋之火與元氣勢不兩立元氣立復則火熱自已所謂甘

溫能除大熱宜補中益氣湯一坤　初熱雖分內外久則未有元氣不傷者或從陰虛或從陽虛只宜顧本為治大病後熱邪未盡宜補虛則熱自除不宜半補半清

危候死症

三焦諸失血後虛勞久病諸虛後發熱者皆為惡候內外俱熱而多溏泄飲食少進聲微氣短而反不利於補此胃氣已敗生意已穷矣

病熱脉沉病熱脉躁和後脉盛汗出不解脉虛熱不止皆不治

R.1138

新鐫海上醫宗心領全帙卷之二十六

婦道燦然集 前卷

○小引

或問男女受胞胎之氣血以俱生郎所感疾病與之無異僊醫書別立科門何爲耶曰男子禀乾健之體而主乎陽女子禀坤柔之質而主乎陰則陰陽之理已分矣曰男子八八而天癸始空女子七七而天癸已竭則受用又其差勝此其陰陽氣血女視之男而樣姝矣矧經水胎產二條隱曲不能告

人最爲児女一身之偏責非如男子一症一藥之一斑此治十男子不如治一婦人之說所由起也故司命之手不敢覩爲慣常而等之諸治撰述之工亦不厭其[illegible]文而期以専門凡且体之格言男得血而藏女得血而瀉而多少虚實之大槩認其端瞽之易辭曰陽道常實陰道常虚而扶陰救陽之難易詳其旨余業医豈徒敢爲異說乃採擇經水胎産諸條及已見者輯爲一套顔曰婦道燦然俾之纔索井然庶亦爲後學問津之一助云耳是引

稼氏別號懶翁引

皇朝嗣德萬萬年歲次庚辰三十三年正月吉日刻

板留同人寺

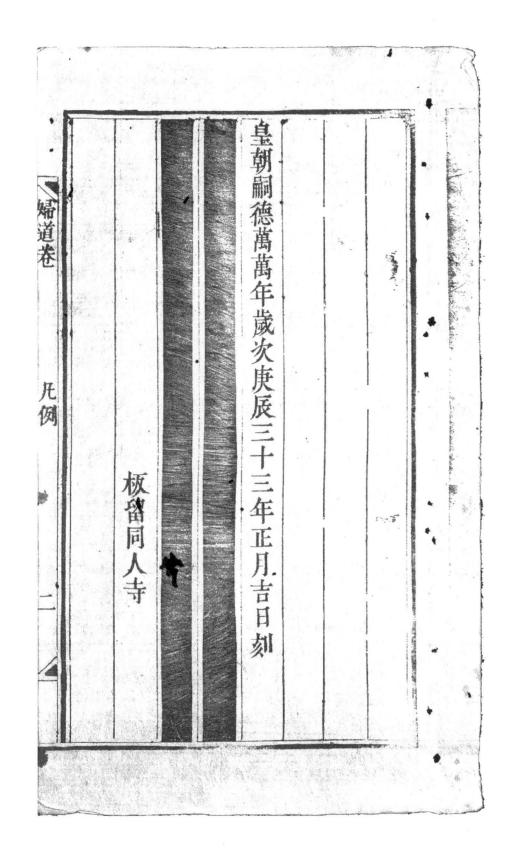

凡例

一以錦囊全篇條分次目一審機二別症三虛實四治法五處方六用藥更增損之井井有條使觀者易於融會貫通

一參用景岳諸辦諸論辞理淵源使學者自可求源自可心得何必問津

一參補医學八門諸方藥有可指歸者使治療觸類旁通廣於搜求

一濟陰綱目婦人良方簡易士材薛氏医案古今医鑑準繩

諸書亦畧參考補焉

○前卷目次

目次畢

婦道燦然集 前卷

海上懶翁稼氏纂輯
後學唐卲武春軒奉較

月經總論

經曰衝任督三者一源而三岐也衝脉起於氣街並少陰之經自小腹俠臍兩傍上行至胸前而散滲灌諸經下入於足爲十二經之海其出入皆由少陰經以行故爲血海任脉任於前起於中極之下以上毛際循腹裏上關元至咽喉故曰

陰脉之海壬之爲言姙也是爲陰脉之總任此人生養之始
也督脉督於後起於下極之俞自小腹至脊裏上至風府入
腦上巔循額至鼻柱故曰陽脉之海督之爲言都也是爲陽
脉之都剛經曰衝爲血海壬主胞胎二脉俱通月事以時下
既行而空至七日後而漸滿如月之盈虧相似經曰衝爲血
海諸經朝會男子則運而行之無積而不滿氣也陽也男子
以氣運故陽氣應日而一舉女子則停而止之有積而能滿
血也陰也女子以血滿故陰血應月而一下然當知血海之

有餘以十二經皆然非特血海之滿也故始得以行之矣書云任脉任一身之陰血太衝屬陽明爲血之海故穀氣盛則血海滿而月事以時下也書云婦人月水本於四經非止衝任又有足太陽小腸屬腑主表爲陽手少陰心屬臟主裏爲陰此二經在上爲乳汁在下爲月水經曰女子七歲腎氣盛髮更齒長二七天癸（天謂天真之氣壬癸水名）至壬脉通太衝脉盛二脉流通經月漸盈應時而下象月盈虧乃曰月經不失其期又曰月信然謂天癸者以其陰精也蓋腎屬水癸亦屬水由先

天之氣畜極而生故謂陰精爲天癸王冰以月事爲天癸者
非也男子之精亦稱天癸則男子之天癸亦爲血耶如鳥獸
無天癸而成胎蓋鳥獸惟知飲食交媾故運精血往來獨聚
於尾閭也
經曰飲食入胃逆溢精氣上輸于脾脾氣散精上歸于肺通
調水道下輸膀胱水精四布五經並行此可見血之能溢者
皆飲食五味之實秀之也水穀之精氣也書云補血每以胃
藥收功正此義也東垣云脾爲生化之源心統諸經之血心

脾和平則經候如常苟或七情內傷六淫外襲飲食失節起居不寺脾胃虛損心火妄動則經月不調矣

書云經水與乳汁本於胃中穀氣之精純歸於心入於肺注於衝任而爲經水變赤爲血稟心火之色也孕特血移蔭於胎元產後則清純之氣歸於肺朝於脈流入乳房變白爲乳稟肺金之色也若不自哺則陽明之竅不通胃中津液乃歸于肺變赤而復爲月水矣

書云無極之眞二五之精妙合而凝乾道成男坤道成女男

一歲起於寅女一歲起於申寅爲陽中陰其數八申爲陰中陽其數七故男子二八而精通女子二七而經行陰陽和合始能生子男子至八八卦數盡則陽精痿女子至七七卦數盡則經水竭不能生子是以婦人禀陰柔之體以血爲本陰血如水之行地陽氣如風之旋天故風行則水動陽暢則血調此自然之理也書云女子經水行早性机巧行遲性魯鈍乃心主神明之理

經病條

審機

人身百病婦人之症與男子無殊其所異者惟月經胎産崩漏帶下乳癰陰瘡諸症凡女十三歲經行禀賦旺也二七不行禀賦弱也常見禀賦羸弱素多陰虛夜熱至十八十九尚未見經當因時而滋補宜遲婚乃佳倘陰氣未全而驟合男子多成癆怯病若女子天癸既至逾十年無男子合者則不調未逾十年思與男子合者亦不調不調則舊血不出新血誤行或積而入骨或变而爲腫後雖合而難子合多則瀝枯

虛人産衆則血枯殺人一曰女子乳衆則陰血枯殺人亦有因風冷乘虛客於胞中有傷衝任之血脉而不調又有勞傷氣血風冷乘之脾胃一傷飲食漸少榮衛日衰肌膚黄瘦衝任損傷而不調故凡經行最宜謹慎否則與産後成病同類

婦人百病皆自心生況性偏多鬱五志之火一起則心火愈熾以至心血日耗無以歸肝而出納之用竭經曰母能令子虛是以脾不磨而食少所謂二陽之病發於心脾者此也二陽者陽明也因食少故肺氣亦失所養而氣滯不行則無以滋腎陰

況陰血常全賴腎水以施化腎水既乏則經水日以乾涸或先或後淋瀝無時若不早調必至閉塞不通而變爲癆極矣居經者經三旬而一見謂常候也若陽太過則先期而至陽不及則後期而來又有乍多乍少斷絕不行崩漏不止皆由陰陽盛衰所至其乍多而在月前者乃陽氣乘陰則血流散溢經所謂天暑地熱經水沸騰其乍少而在月後者乃陰氣乘陽則胞寒氣冷血不運行經所謂天寒地凍水凝成冰

一云有不及期而無火者有過期而有火者凡紫黑色多屬

火旺之極亦有虛寒而紫黑者若淡白則無火旺明矣然更有挾痰而淡白者有挾濕痰帶黃而渾濁者故當兼脉之遲數禀之強弱辨之

男女各有精房劳不節皆能大傷精氣故精枯殺人非獨男子書云女子嗜欲過於丈夫感病倍於男子况産蓐帶下三十六病損氣傷血挾症多端故女人尤宜清心節欲便是調經却病第一義也

别症

婦人以血爲主經行與産後一般最宜謹慎其時若有瘀血一點未淨或被風寒濕熱暑邪或內傷生冷或洗濯過冷入或誤食酸寒七情鬱結凝積于中名曰血滯或經止後用力太過或入房太甚及服食燥熱以致火動則邪氣盛而津液衰名曰血枯或經後被驚則血氣錯乱妄行逆於上則從口鼻出逆於身則血水相搏変爲水腫或恚怒則氣血逆於腰腿心腹背脇手足之間則重痛不寧經行則發過期則止或怒極傷肝則有眩暈嘔吐瘰癧血風瘡瘍等症加之經水滲

漏於其間遂成竅穴生瘡淋瀝不斷濕熱相搏而爲崩帶血結於內变爲癥瘕凡此变症百出不過血滯與血枯而已重則經閉不通致成癆瘵故犯時微若秋毫成病重如山岳是以女人諸症必先問經經水者陰血也陰從陽爲氣之配隨氣而成氣熱則熱氣寒則寒氣滯則滯成塊者氣之凝也將行而痛者氣之滯也行後作痛者血氣虚也錯經妄行者氣之乱也色淡者虚而有水混之也紫者氣之热也黑者熱之甚也若見紫黑成塊作痛率指爲風冷誤也宜用溫熱蓋热甚多

兼水化所以熱則紫甚則黑玉機曰寒則凝而不行既行而紫黑故知非寒也當以脉別之遲是寒数是熱一云寒冷外邪初感入經則痛久則鬱而爲熱如傷寒而爲病熱者明矣

月事不來者經曰二陽之病發於心脾有不得隱曲故女子不月其傳爲風消至爲息賁者死不治（风消者风熱消削也息賁者傳入於肺喘息上賁也）二陽足陽明胃脉也爲倉廩之官主納水穀乃不能受納者何也此病由心脾所發耳女子有不得隱曲之鬱鬱於心心不能生血血不能養脾始焉胃有所受脾不能運化繼

則胃漸不能受納故胃病發於心脾也由是水穀衰少無以化精微之氣而血脉遂枯月事不得時下矣傳爲風消者此陽明主肌肉血不足則肌肉妄有不消瘦者乎風之爲名火之化也

經閉不行者有因脾胃久虚形體瘦弱氣血俱衰以致經水斷絶者有因勞心過度心火上行不得下通胞脉是以月事不來者有因冷客胞門血寒凝泣而不下者有因軀肥脂滿痰多粘住血海地位閉塞不行者有因或挾寒或挾熱而汚

血凝滯不行者有因食與濕痰者塡塞太陰經閉作痛者要知寒熱虛實則脉之遲數有力無力自天淅矣亦有室女積想在心思慮過度多致劳損劳則傷心心傷則血竭而月事涸心母旣病脾子亦虛而食減則肺虧金巳虛而水亦竭矣

血枯經閉者指腸胃血少枯燥而言東垣分三焦治以上焦心主血也劳心過度陰血隨耗而無以藏之於肝由是血海枯矣中焦胃爲氣血之海也倘胃液不足消穀善飢則穀氣不輸夫血者水穀之精氣調和於五藏洒陳於六腑若化源旣絶於中經血自竭於下矣下焦大腸主津小腸主液上爲

乳汁下爲月經若二經津液不足則二便自然燥結况經水運行何能而不竭乎然二陰之燥結更由腎水之失養明矣陰陽配合萬物化生孤陰獨陽可乎凡女室慾心萌而未遂以致陰陽不調而交爭乃爲作寒作熱有類瘧狀始則經閉不通白淫癥遊膈氣痞悶面黯脊瘦等症久則爲癆此皆寡婦之病凡肝脉弦出寸口而上魚際皆氣滯血鬱而得之也一月一行其常經也或先或後或通或塞是其病也有行期只吐血衄血或眼或耳出血是謂倒經逆行有三月一行者

是謂居經有一年一行者是謂避年有一生不行而受胎者是謂暗經有受胎之後月月行而産子者是謂胎盛俗各垢胎有受胎数月忽大下血而胎不損者是謂漏胎此因氣血有餘不足而異人常度矣

有婦人經月來時陰陽交合精血相射入於任脉留於胞中以致小腹結病狀若伏梁水溺頻澁是各積精多成經漏淋漓俗云血沙淋是也故凡婦人行經血海既淨而交合則精凝血裹可以成胎經適來而不禁房室則敗血不出積精相

射致有諸症戒之

婦人行經兼潮熱腹痛重則咳嗽汗嘔或瀉則氣血愈傷百病蜂起血滯積骱髓便爲骨蒸血滯積瘀與日生新血相搏則爲潮熱血枯不能滋養百骸則蒸熱於內血枯脆絡火盛或挾痰氣食積寒冷則爲瘀爲疼痛氣虛不能運化則嘔瀉自汗凡此諸症皆令經水不調必先去其病而後可以經調也

虛實

遲而無力者脉之虛也寒也數而有力者脉之實也熱也形

體膜白氣短喘急怯寒氣之虛也面色憔黑皮枯肌肉發黄血之虛也色夭然而不澤陽虛也形色充盈骨肉相稱神色隱重形之實也經候趲前爲熱實也退後爲寒虛也又曰先期而至爲有餘後期而至爲不足經行腹痛者血積經後腹痛者血虛有時常發熱爲血虛有積

治法

經行腹痛絞痛如刺寒熱交作下如黑豆汁兩尺沉濇餘皆弦急此皆由下焦寒濕之邪搏於衝任痛極則熱熱則流通

因寒濕生濁故下如豆汁宜治下焦以辛散苦溫血藥治之
亦有血滯血虛者以養血藥治佐以順氣心統血脾攝血若氣
滯血澁而不行者多由思慮傷脾肺金失養腎水無滋經血
枯涸以致三五不調漸至閉絕虛損內熱骨蒸癆瘵之症起
而卒難以施治惟養心則血生健脾則氣布二者旺則氣暢
血行自能化精微而輸榮血矣不可槩曰死血過於宜通亦
不可峻行溫補蓋辛熱之劑反必燥涸精血宜先以重濁滋陰大劑主之
經候不調不通者有兼疼痛有兼發熱者不調之中或趲前

或退後前爲熱治後爲虚治不通之中有血滯者有血枯者滯宜行之枯宜補之疼痛之中有常時痛有經前痛皆爲血積有經後痛皆爲血虚發熱之中常時發熱皆血虚有積經行發熱爲血虚有熱大抵皆由內因憂思忿怒外因飲冷形寒內因觸怒則鬱結不行外因遇寒則凝而惡露未盡此經候不調不通作痛發熱之所由也治之之法宜調其氣而行其血開其鬱而補其虚凉其血而清其熱氣行血行氣止血止故治血病以行氣爲先如香附之類是也熱則流通寒則

凝結故治血病以熱藥爲佐如肉桂之類是也至於大病後經閉皆爲氣血兩虛惟宜補脾養血元氣充溢自然經行此不治之治也

血枯血隔皆經閉不通之候也然枯之與隔有如水炭枯者竭也血虛極也隔者阻也血本不匱而或氣或寒或積有所逆也隔者病發於暫其症或痛或實通之則行而愈若枯者其來有漸衝任內竭其症無形夫血既枯矣大宜補養陰氣未至枯竭者氣血或可漸充如用通經峻削之劑枯者愈枯

而其斃立待矣

一血滯經閉宜破者原因飲食熱毒或暴怒凝瘀積痰須用大黄乾漆之類推陳致新俾首血消而新血生也若氣旺血枯起於勞役憂思自宜温和滋補或兼有痰火濕熱尤宜清之凉之毋以肉桂爲佐者熱則血行矣不可純用峻藥以虧陰道惟宜補益榮衛調和飲食自然氣血流通苟不以根本爲事惟圖毒藥攻之猶急求千金於乞丐矣有女子二七經行而反斷此爲避年後當自下葢眞氣猶怯禀賦薄弱但補

其眞氣水升火降五臟和而經脉通矣亦有女子經行已二三次復至一二年不行或有四季一行或有三五復至此因禀受衰弱血脉未充故經行斷續治之但順氣養血氣血旺而自通切勿攻之反成大病經曰百病皆生於氣喜怒憂思驚恐悲寒熱勞九氣惟婦人爲甚蓋血隨氣行氣滯則血爲氣併或月事不調心腹疼痛或月事將行預先作痛或淋漓不斷寒熱瘕癥或痛連腰脇上下攻刺吐逆不食肌肉瘦削非特不孕久爲癆瘵皆氣之爲病也故調經養血莫先於順氣爲主

一凡調經當滋水爲主不須補血蓋天癸至任脉通太衝脉
盛而月事以時下故調經須補腎中眞陰或問一紅色也非
血而何曰女子繫胞之所而養經之處養之一月而經行行則
虛矣以時交感投虛而受人若有孕此水卽所以養胎不月
矣一生子此水卽化爲乳汁而不月乳之色白也何爲血乎
論其至理則血亦水也從乎火化而色赤稟心火之色故赤也乳亦水
也從乎氣化而色白稟肺金之色故白也況至七七而天癸絕其所絕
者天癸水也其流行之血不見其枯涸其仍行於經絡皮膚

間者卽十四歲以前皮膚中未嘗無血也必俟夫二七而天癸之氣至方能任脉通月事以時下可見不但由乎天癸之水而更由乎天眞之氣也故不須四物補血必以六味滋水滋水兼得補血補血兼不得滋水葢芎歸香竄難到腎家益非融化眞陰之品况血乃後天飲食入胃遊溢精氣而成若經血乃衝任所主俱屬腎經無形之脉乃經脉之海女人獨稟此水以為生生之源與男子二八之精同氣俱從天一之源而來積一月而滿滿則溢似血而實非血也然衝任起於

胞中男子藏精女子繫胞而爲用者其間又特一點命門之火爲之主宰是以火旺則紅火衰則淡火太旺則紫火太衰則白所以滋水更兼養火甚則乾涸不通者雖曰火盛之極亦由水虛之甚亦不宜以苦寒之藥降火只宜大補其水從天一之源而養之使滿滿則自然流行而溢萬無毒藥可通之理也

一凡婦病當先問娠蓋旣有病娠脈不能易辨故不可純用破氣行血之藥恐有娠在疑似間矣婦人之病比之男子十倍難療十四以上陰氣遊溢百想經心內傷五臟月水去留

前後变互瘀血停凝中道断絶其中傷墜不可具論加以愛憎疾妬所以爲病根深而難療至於尼姑寡婦純陰無陽抱欝而傷心脾尤非草木易於奏功有因經病而後經月不調者有因經月不調而後生諸病者如因先病而經月不調當先治其病病去則經月自調若因經月不調而後生諸病當先調其經經調則病自除若脾胃虚損心火妄動則經月不調矣蓋血生於脾凡血病當甘温之藥以助陽氣而生陰血也其經行之際禁用苦寒之品飲食亦然凡女子天癸未至

之前爲病多從心脾天癸既至多從肝腎治之膓胃血少而見血枯經閉東垣分三焦治悉以瀉火補血之藥爲主然二陽之病燥澁更由腎水之衰當以脉分上中下所因以調之久則望其轉涸爲潤經月流通若妄用香燥辛熱尅伐徒增其害

一經來時交合經血相射病名積精治當調和氣血使臟腑和則瘀自消婦人之病幽深好嗜偏僻情喜隱匿苟非審脉詳症烏能識其病源耶丹溪云寧醫十男子莫治一婦人甚言女科之難也夫婦人一科古人稱爲難治者何也葢富

貴之家帳幙藏形暗黑診驗則望聞問切已缺其二醫者之
泛求想惑猶楊子之一岐可南可北且脉之難明似是而非
故景岳云中心了了指下難明茲則舉一而廢三欲知病情
之真的難矣

處方

一婦人以血爲海每因七情氣欝憂思則氣結而血亦結忿
怒則氣逆而血亦逆如不及期而來者有火也宜用六味二玄
滋水則火自平矣不及期而來多者本方加海螵蛸白芷柴

胡白芍五味如半月或十日而來且綿延不止此屬氣虛用補中湯坤二如過期而來者火衰也爲虛爲寒爲鬱爲痰本方加艾葉香附半夏如遲而色淡本方加肉桂

一經後體痛者蓋氣血盛則陰陽和而形體通暢若衛氣外虧無充養榮血內乏之無灌溉故經行身痛或曰血海有餘者時至而溢血海不足者時至而週身之血亦傷故經欲行而身體先痛也至於經後腹痛尤屬氣血俱虛宜八珍湯坤四二然亦有虛中有熱宜逍遙散日十一亦有氣滯而經行未盡宜

四物湯坤三加木香有經後發熱倦怠兩目如有帛蔽不明者
蓋脾爲諸陰之首目爲血脉之宗此脾陰虧損而五臟皆失
所養不能歸明於目也用補中湯坤二歸脾湯坤五十專主脾胃
調補氣血此目得血而能視矣若誤者以清凉明目爲事反
致變生大病矣
一有婦人經行必先瀉二三日然後經下診其脉皆濡弱者
此脾腎兩虛也蓋脾能統血經月將行脾氣運行血海不能
滲濕固中矣腎主禁固月事以時而下癸元消耗於中而失

禁固之權矣宜以歸脾湯坤五十加減溫補脾腎爲主若經去過多白帶時下日輕夜重泄瀉無時者此陽虛下陷也命曰陽脫宜十全湯坤四三或補中湯坤二主之

一女人以坤道用事故治婦人以陰爲主是以月經不調宜四物坤二一爲主隨其寒熱虛實而爲斟酌加減按此方當婦地黃芍藥皆味厚之品味厚爲陰中之陰故能益血又曰當歸入心脾芍藥入肝熟地入腎川芎徹上徹下而行血中之氣也此四物湯所以爲婦人調經之要藥也

一凡耗氣益血之說治經病要法似是而非也蓋血爲氣配
氣行則行氣滯則滯寒熱升降亦依之如果有火鬱氣盛於
血者方可用單香附丸散加木香檳榔枳殼以開鬱行氣若
氣亂則調冷則溫虛則補陽生則陰自長氣衰則血亦涸豈
可專耗其氣哉且婦人性偏多鬱或爲婢妾志不得伸鬱怒
無時不然故香附爲婦人之仙品若外感風冷臍腹疼痛川
芎赤芍桃仁行其血桂枝甘草散其寒名桃桂湯外感風寒熱入
血室時發寒熱宜小柴胡湯見三七加生地或黃芩芍藥湯見七

加生地經行特內傷生冷外被寒濕以致瘀血凝結者宜五積散日八八去麻黃加牡丹紅花風冷外傷七情內結以致經絡痺滯宜溫經湯芎歸丹芍牛必以濡血人參炙草以益氣桂心黃芪以逐寒通閉後用澤蘭歸芍麥草去瘀生津內傷七情心氣鬱結而經水不行者宜分心氣飲日十八去姜活半夏青皮桑皮加川芎香附莪朮玄胡有火更加黃芩或小調經湯日八十单香附丸日八九

凡氣血盛虛經絡通閉或特挾痰者宜单大黃膏日九十或馬

鞭草取汁煎熬成膏爲丸或燒存性紅花當歸煎湯下、如內傷飲食勞倦脾胃傷損氣弱體倦發熱腹痛腸鳴飲食減少不生血者宜補中湯坤二加川芎紅花地黄有腸鳴月水不來者病在胃胃虛不能生血氣宜单用厚朴五メ空心煎服或單蒼朮膏日九二水泄少食者宜升陽益胃湯坤四無泄少食者宜二陳湯日九三加白朮黄芪童便製香附芎歸芍藥牡丹麥門山查麥芽因飲食積者更加莪朮枳殻湿痰粘住血海地位而經閉者宜導痰湯日九四加川芎黄連禀虛體瘦口燥善食厚味發爲痰火有潮熱者宜逍遙散日八八去薄荷加黃芩或加味養榮湯十六或四君湯四二加黃芩以培氣血大抵肥人多氣弱有湿痰瘦人多血怯有火胎產多傷血或誤用克伐之藥氣血衰乏不行者宜十全湯十七後期而來者血少而不足宜四物湯加芩連或前或後或多或少或逾月不至或一月再至宜當歸散日九六調經散日九九单用丹參散日九八一時行時止淋漓不断腹中刺痛此是寒氣熱邪客留胞中血海凝滯如臍下逆氣胸膈鬱結而欲嘔者宜桃仁散日十或

用當歸四乂乾漆三乂蜜凡服如腰臍腹痛宜牛膝散日百一
或行或止心痛者宜失笑散日百一如經水適來適断寒熱往
來先服小柴胡湯日三七加地黄後以四物湯坤十二和之有月
事頻效者宜四物湯倍芍薬加黄芩有經行不止者加地楡
阿膠荊芥有熱者倍黄芩或呑固經凡日百二經來而色紫者
爲風宜四物湯加防風白芷荊芥黒者熱也宜四物湯加芩
連香附淡白者虛也宜古芎歸湯日百三加参茋芍香附或挾
痰停水者宜二陳湯日九三加川芎當歸如煙塵者宜二陳湯

加秦艽防風蒼朮如豆汁者宜四物湯加芩連或成塊者氣滯也宜四物湯加香附玄胡陳皮枳殼

一陰熱有時乃內傷內虛宜大溫經湯日百四　潮熱無時乃外感爲實熱者宜四物湯加芩柴經欲行而臍腹絞痛者爲血滯宜四物湯加玄胡苦楝木皮檳榔各火一　如痛甚宜萬應凡日百

五經行後而腹痛者爲血虛宜八物湯坤四二　或小烏鷄凡日百

六女子年近二十方可配合蓋陰氣難成也或肆食酸寒煎炒熱燥以致氣血上壅不通宜紅花當歸散日百七　或紫葳散

一日百如逾年而未嫁或年未及而思男思則傷心血火炎燥肺腎枯而血閉成瘵者難治宜四物湯加柴胡黃芩或逍遙散一日十加枝子芩連或腎氣丸二玄寡婦鬱悶百端或思慮家道五火燔灼以致惡風體倦乍寒乍熱面赤心煩自汗當抑肝陰宜柴胡抑肝湯九日百或抑陰地黃丸二玄十或越鞠丸十日百

用藥

一血虛者四物湯爲主茯苓瑣陽牛膝杞子龜板夏枯草人乳鹿麋茸膠

一血寒者乾姜附子肉桂桂心

一血燥者人乳牛乳天門麥門蓯蓉瑣陽阿膠

一血熱者黃芩黃連牡丹山梔苦参生地藕汁

一血瘀血滯者桃仁紅花蘓木丹皮血竭韭汁童便乾漆莪朮三稜蒲黃五靈玄胡枳實川芎歸尾

一血崩者地榆百草霜棕櫚灰阿膠炒黑蒲黃炒黑靈脂栢葉灰荷葉灰鬼絲灰京墨龍骨

崩漏條　崩似山崩漏如室漏　崩爲急漏爲緩

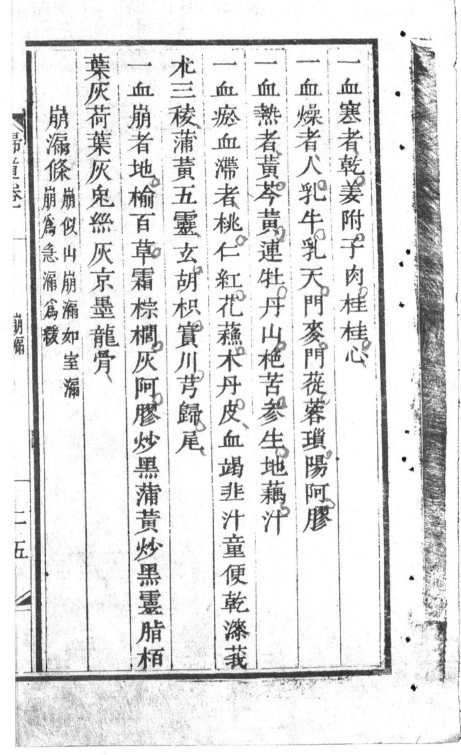

審機

一崩者乃經血卒然大至或清或濁或純下瘀血如山之崩勢不可遏之謂也經曰悲哀太過則心繫急肺布葉舉而上焦不通熱氣在中故血走而崩也又曰陰虛陽搏謂之崩蓋衝任爲經脉之海凡氣血調適則外循經絡内榮臟腑經下依時若勞傷過極衝任氣虛不能約制經血乃爲暴下又云陰虛則尺脉虛陰血既損寸脉搏擊虛火愈熾火迫妄行而爲之崩

一經曰陽絡傷則血外溢隂絡傷則血內溢又曰脾統血肝藏血故崩漏爲病皆因脾胃虛損不能統血運行或因肝經有火血得熱而下流或因肝經有風血乘風而妄動或因怒動肝火血熱沸騰或因肝經鬰熱血不歸經或因悲哀太過胞絡傷而滲漏也

別症

一凡崩之爲病得之悲哀者乃七情傷心之崩也得之勞力者乃內傷勞倦之崩也又曰火迫血而妄行皆從胞絡中出

也血久下行已爲竆經則本經血之十二經之血皆從此滲漏也然胞絡下繫於腎上通於心故此症實開於心腎二經宜有陰虛陽搏之脉也

一崩者倏急暴下也漏者淋漓不斷也總由勞力過度而傷中喜怒不節而傷肝脾虛而不能統血肝傷而不能藏血故爲崩漏也

一凡受熱而色赤者謂之陽崩受寒而色白者謂之陰崩五臟皆虛五色隨崩俱下一臟虛隨臟見色而下色白如涕肺

臟之虛冷也色青如藍肝臟之虛冷也色嬪爛瓜脾臟之虛冷也色赤如絳心臟之虛冷也色黑如肝血腎臟之虛冷也五臟俱虛五色相雜謂之五崩

虛實

一崩則流通爲熱熱則多實漏則點滴爲寒寒則多虛然未必也當觀形之稟賦強弱脉之遲敘有力無力形脉虛縱有大熱亦是假熱

治法

一若崩因勞傷過極治當大補氣血升舉脾胃之氣微加鎮墜心火補陰瀉陽而崩自止若過於凉劑挍服則抑遏陽氣於氣海經血愈難清淨古人多用燒乾姜桂心灰方書用治寒崩非治寒也葢取其散結從治之義也

一治崩當分陰陽夫氣血乃人身之陰陽也陽主升陰主降陰根於陽陽根於陰一升一降循經而行無崩漏也若陽有餘則升者勝血出上竅陽不足則降者勝血出下竅故血隨陽氣而升降陽氣者風也風能上升然必須東方之温風始

能升長而生養也

一有崩甚而腹痛者人多疑惡血未盡又見血色瘀黑愈信其惡血不敢止絶殊不知血因經絡以流行故色鮮而不滯若一出經絡旣失陽和復無氣運猶天寒風靜水即爲冰停在腹中便爲瘀血以瘀爲惡又安知瘀之不爲虛冷乎瘀而腹痛血行則痛止崩而腹痛血住則痛止宜芎歸湯加姜附止其血而痛自止若以黑色爲瘀而盡去之則經絡中之乘虛而走者何時而止耶必氣脫人亡而後已

一有涎欝胸中而清氣不升故經絡壅遏而降下非開涎不足以行氣非氣升則血不能以歸隧道治宜二陳湯丸之類先服後探吐之既開胸膈之痰涎復散欝滯之濁氣則清升濁降血歸而不崩矣

一婦人血崩來如潮湧明是熱勢妄行然豈可用寒治益寒則血凝泣而熱欝於中害甚深矣治宜清補兼爲升提血自循經經自攝血故亦不可驟止也宜地黄阿膠芍藥麥門桑茸灰木耳灰之類久則亦多虚寒而重溫補脾腎者當以脉

候之凡血症多兼用黑藥者以水能制火而黑能勝紅也

一有始貴後賤命曰失精始富後貧命曰脫營由心氣不足其火內燔血脈之中經候不調形體容顏似不病者此心病不形於盼至於飲食不節則病見矣此宜勸解以慰其心再以大補氣血調益脾胃微加鎮墜心火補陰瀉陽而經自調矣

一東垣用十二經引經之藥使血歸十二經然後用黑藥止之若不先服引血歸經則止血藏於何所勢必泛溢益增而無拘矣尤宜清心絕慾則心得拱默之德腎得閉藏之司肝

無妄泄之害矣聘音覓普患切攀去聲覵也

一有過於憂思悲恐陽氣內動眞陰愈虛不能鎮守胞絡相火迫血而崩故宜養血安神爲主若因脾胃氣虛下陷腎與相火相合溼熱下迫而致者宜調脾養血爲主或因大小新產遽觸房事或經水未絕欲心熾而傷血海皆致崩漏並宜調氣養血於心肝脾腎四藏中求之

一人之七情過極則動五志之火五志之火過甚如風動木搖火燃水沸也

一治崩次第初用止血以塞其流中用清熱凉血以澄其源末用補血以還其舊若止塞其流而不澄其源則滔天之勢不能遏若止澄其源而不復其舊則孤子之陽無以立故急則治其標緩則治其本本末勿遺緩急罔紊始可以言治立齊曰治崩之要宜理氣降火升提治漏之要宜滋陰補氣養血或兼制火也

一崩漏不止之病先因心火亢極攻是血脉泛溢以致肝實而不能納血出納之用遂廢經曰子能令母實是以肝腎之

相火上挾心火之勢從而相扇致令月水錯經妄行無時泛溢若不早治變爲血枯發熱勞怯矣

處方

一女子漏惡血或暴崩不止多下水漿之物皆由飲食不節或勞倦傷脾或心氣不足夫脾爲至陰滋荣遍身者也心主血貫腎實脾者也二者受病病皆在脉脉者血之府也心者脉之神也心不主令胞絡代之心繫者胞絡命門之脉也主月事生孕因腎虚而胞絡乘之故漏下水血不止當除濕去

熱宜升陽除濕湯三十四　既提陽氣下陷復借風藥以勝其濕热之勢也若病愈經血惡物已盡必須以黄芪人参當歸甘草之類補之若經血惡物下之不絶因虚不能收攝者當益脾胃補氣血兼升兼止因怒熱者兼清心凉血之藥立齋曰有婦人患崩過服寒藥脾胃久虚中病未已寒病復起煩渴引飲粒米不進昏憒時作脉洪大而按之微弱此無根之火内虚寒而外假热也宜十全大補湯坤四三　加附子而崩減日服八味丸玄一　而愈

一有久患崩者服四物湯凉血劑或作或止有主降火爲治更加腹痛手足俱冷此脾胃虚所致先用附子理中湯日四一次用濟生歸脾日百十二或補中益氣湯坤一而崩愈崩且水瀉是前後二陰之氣下脫也蔘芪苓朮佐以升柴大升大補爲佳

如病自覺寒冷如水時欲喜煖所以下污水色如屋漏或彖白帶脉雖洪緊而無力或沉伏者此屬濁氣鬱滯衝任所致宜以升提開結平肝爲要必兼辛散平以辛凉其純熱純寒之藥俱不可用如炒黄栢蒼朮香附川芎半夏青皮陳皮白

芷柴胡肉桂炮薑之類爲最宜

立齋曰血崩心痛者心主血血去過多心無所養以致作痛也宜十全湯坤四三倍參朮多服如瘀血不行者宜失笑散二二陰血耗散者宜烏賊丸日十二歛之然崩爲急症漏爲緩症崩必大怒傷肝衝動血海或火盛之極血熱而沸騰也漏則房勞過度傷損衝任氣虛不能約制經血或其人平素多火血不能安故不時漏洩也

一凡脾胃虛弱者宜六君湯坤十二加芎歸脾胃虛陷者宜補

中湯坤一加白芍肝經血熱者宜四物湯坤四二加柴胡山梔肝經風熱者宜加味逍遙散日八一若怒氣動肝火亦用前藥脾經鬱火者宜歸脾湯坤五十加山梔柴胡丹皮悲傷胞絡者宜四君湯坤十加升柴山梔大要初起多從熱久則又當從寒然陽強陰弱者崩愈甚而陰愈虛愈熱乃陰虛之假熱不可從寒涼正治也○東垣曰凡下血症須四君湯坤十收功又曰氣虛血虛有以四物湯坤二加參芪因勞力者倍參芪加升麻若大去血後毋以脉診急用獨參湯日四六救之其發熱潮熱咳

嗽脉數乃元氣虛弱真陽不能內藏真陰不能內守假熱之脉也尤宜獨參湯此等症候無不由脾腎先損故脉洪大察其中有胃氣受補則可救設遇寒凉復傷脾胃生氣不能攝血歸源是速其危也蓋治諸血症每以胃藥而收功由脾能統血而又爲生化之源也

一勞傷氣血衝任虛損月水過多淋瀝不斷及姙娠調理失宜胎氣不安或因損動漏血傷胎宜膠艾湯坤三六婦人瘦弱血虛有熱經月不調崩漏帶下骨蒸等症不能成胎宜烏鷄丸日百十四

一婦人四十九以後天癸當住每月却行或過多不止宜单苓心丸（日百十五）又崩中下血不止者宜十灰丸（日百十六）或備金散（日百十七）如經不止宜蓮蓬散（日百十八）主之

一氣血俱虚不能約制宜大温經湯（日百四）氣虚者宜四物湯（坤二）加参芪血虚者宜四物湯加膠艾黒姜久不止者宜栢子附歸丸（日百十九）虚寒臍腹冷痛者宜伏龍肝散（日九）一切虚症宜内灸丸

一膏粱厚味以致脾湿下流於腎與相火合爲湿熱迫經下漏其色紫黒腐臭宜解毒四物湯（日百二一）或有年老久崩者宜

伏龍肝散如暑月宜単芩心丸（百日十五）或益元散（百日二二）加百草

飧如濕者宜升陽除湿湯（十日四）

用藥

一止血崩者髮餘灰蒲黄灰蓮蓬灰犀角灰

○○帶下條

審機

一經曰相思無窮所願不得意淫於外入房太甚發爲白淫

白淫者白物淫衍如精狀男子因溲而下女子陰中綿綿而

下也本出帶脉帶脉者奇經八脉之一也在腰臍間廻人一週如人束帶而前垂總來諸脉使不妄行然八脉俱屬腎經人身帶脉統攝一身無形之水下焦腎氣虛損帶脉漏下自爲氣虛帶脉仼脉之病也經曰仼脉起於中極之下以上毛際循腹裡上關元至咽喉上頤循面仼脉自胞上過帶脉貫臍上其病所發正在過帶脉之分淋瀝故曰帶

一婦人多憂思鬱怒損傷心脾肝火時發血不歸經所以多患赤白帶下白帶多是脾虛蓋肝氣鬱則脾受傷脾傷則濕

土之氣下陷是脾經不守不能輸歸榮血而下滑白之物也皆由風木鬱於地中使然也一曰多怒氣則傷肝肝邪乘脾則脾受傷而有濕濕而生熱熱則流通所以滑濁之物滲入膀胱而出也

别症

一女子曰帶下白淫男子曰遺精白濁皆因憂思喜怒產育房劳傷其榮衛素有濕熱濁氣滲入膀胱故穢白之物如涕而下流不止面色無光腰脚痠痛精神短少是也

一婦人赤白帶下而不甚稠粘者與男子之白濁全係扵相火如龍雷之擾而不澄清也屬足太陰少陽如有滑白稠粘者謂之帶下屬心胞手厥陰少陽卽如男子自遺之精甚如沙石之淋原心胞係乎脊絡乎帶脉通扵任脉下抵湧泉上至泥丸此白淫帶下之所以别也

、虛實

一此症多得扵歷巷腎爲精血之海主閉藏之司腎氣不固而精不藏惟有形體充實而素有濕熱者初宜清熱滲濕後

則分陰虛陽虛而補瀉之也

治法

叔和曰崩中日久爲帶白漏下多時腎水枯蓋言崩久氣血虛脫雖有寒散之分俱是氣血流溢爲病總歸扵虛處也又曰治白淫當以清補爲主治帶下宜以血分之藥以培之其人素有濕熱人但知下焦虛寒而不知中焦之濕熱反用燥熱溫補之劑偏助陽火陽火氣盛陰血漸燥譬如猪膏烹之則融冷之則凝中焦濕熱淫氣不清則爲白帶所以火升水

降則上熱下寒下焦寒冷結凝濁物若熱氣薰蒸則爲腥臭之氣安得獨言爲虛乎法當清上實下清濁自分理脾養血濕熱自解再爲溫補下元使水升火降而帶自除故丹溪云赤屬血白屬氣屬痰但胃中痰積下流滲入膀胱宜用升舉肥人多屬濕痰瘦人帶病者少如有者亦屬熱痰宜用南星半夏蒼朮海石炒黃栢青黛川芎椿樹皮之類

一脾受傷而有濕濕生熱丹溪用苦寒治之者是古人作濕寒而以辛溫治之者非然古人曾用辛溫之藥治之而愈者

姝不知用苦寒之藥者是正治之法也用辛温之藥者是從治之法也葢濕熱滯鬱於内肚腹疼痛赤白帶下非辛温之藥從治而能開散之乎若在濕熱尚未沸鬱但只赤白帶下而無疼痛之症者不若暫用苦寒之藥治之爲當也

處方

一赤爲有火治法俱以補腎爲主白者多赤者少若脾虗者以六君湯坤十一加升麻氣虛者宜補中湯坤一肝虗者逍遥散日十一兼六味丸玄二若肝鬱傷脾由風木鬱於地中宜開提肝

氣補助脾元以補中益氣湯二加棗仁茯苓山藥黃栢蒼朮麥門之類濃煎不時飲之再用六味丸一加牡礪海螵蛸杜仲牛膝蜜丸若赤豆大空心湯下每服五六十丸白帶本屬氣虛補氣健脾兼以升舉若臓冱臭穢特甚者湿熱甚也宜蒼朮白朮黃栢茯苓椿樹皮之類佐以升提若如鷄子清者脾腎虛極也面色必不花足脛必浮腰腿必瘦宜五味子丸八味丸〔一方日百二三／一方玄一〕間用開脾養心之劑如歸脾湯坤十五之類陰虛有火宜八味丸加五味兔絲車前黃栢滑白稠粘謂之

帶下時人泥於常套作流痰治以牡礪龍骨地榆之類澁之和以四物坤二一加以升提殊不知根本損傷以致腐敗而更澁之彼寒滯不清之物則益加其滯升提不正之氣則愈增其鬱惟以六竜固本丸日百二四或十六味保元湯日百二五主之治赤白帶下腹內疼痛不欲飲食日漸瘦削宜當歸煎日百二六白帶白淫白濁便如米汁宜威喜丸日百二七婦人血海虛冷白帶時下臍腹刺痛久服令人延年精神充實子嗣多育宜大效拱辰丸日百二八久患白帶瘦削無力腰痠腿痛飲食無味面黃

浮腫小水淋瀝氣虛血少宜人参黄芪散日五四瘦人多熱脉數外症潮煩乃陰虛火盛宜芩栢標皮丸日百二九因月水淋瀝不已或崩中暴下或産後去血過多以致陰虧陽竭栄氣不升經脉凝泣衛氣下陷精氣畜滯於下焦蘊積而成白滑如涕下流腥臭者宜黄芪建中湯日百三十去桂加當歸香苦練丸日百二一久不止臍腹引陰冷痛者宜東垣固眞丸日百三二虛中有火者補經固眞丸日百三三或大烏鷄丸室女經水初下一寺驚悸或浴以冷水或當風乘凉故經止而卽患帶下宜琥珀硃

砂丸目百三五　孕婦帶下全係濕熱宜茯苓樗皮丸目百三六加香附平時陰陽過多及產後亡血下虛風邪乘虛入於胞絡宜煖宮丸坤三三七加姜附吳茱或黃芪建中湯去桂加歸頭水煎吞苦楝丸

用藥

一氣虛者人參黃芪白朮炙艸

一血虛者當歸生地白芍川芎阿膠乳汁丹參地榆斑龍

一虛寒者官桂大附乾姜吳茱小茴

一實熱者黃芩黃柏牡丹地骨滑石知母玄參黃連青黛梔子

一滲濕茯苓澤左蒼朮猪苓車前
一止澁牡礪龍骨白芷椿根皮百草霜樗皮梔子仁側栢葉
海石白葵花赤石脂紅葵故紙海螵蛸
○○雜症條共十八條　熱入血室
一婦人傷寒發熱經水適來晝日明了夜則譫語如見鬼狀
此爲熱入血室治之無犯胃氣及上二焦必自愈惟和表邪
兼清血室之熱足矣蓋衝爲血海卽是血室得熱則迫血下
行男子亦有之

○血分水分

經前斷後病水名曰血分此病難治先病水後斷經名曰水分此病易治葢經行之際因寒濕傷其衝任氣壅不行播在皮膚邪氣相搏經血分而爲水發爲浮腫故曰血分水氣上溢皮膚散於四肢發爲浮腫病水而經乃斷矣故曰水分若血分而誤作水治其害不小宜調經散十日九　葢血不通則水不化豈有水不通而能化血乎血不通而能化水者乃是氣壅不能化血而成水也觀桃仁丸　其意可見矣

炙臠梅核肉塊 恋上声

金匱曰婦人咽中有炙肉宜半夏厚朴湯主之臠肉乾肉也咽中粘粘如有炙肉吐之不出呑之不下飲食二便不礙乃氣積爲寒所傷不與血和血中之氣溢而浮於咽中得水濕之氣凝結難移男子間亦有之宜用半夏厚朴湯爲主即二陳去陳皮甘草加厚朴紫蘇生姜專治婦人七情之氣鬱滞而不散結成痰涎或如梅核在咽咯不出嚥不下或中脘痞滿氣不舒暢或痰飲中滞嘔逆悪心並治蓋半夏降逆厚朴

散結生姜茯苓宣至高之氣滯而下其濕、紫蘇味辛氣香色紫性溫能入陰和血、則氣與血和、而不上浮矣、

瘕癥痃癖

因婦人臟腑虛弱經行不避生冷瘀血飲食結聚成塊與臟氣相搏日漸生長牢固不安得冷則發大痛欲死其症宜辨別之癥者堅而不移也因於傷食成塊曰食癥因於瘀血成塊曰血癥蓄積於腸胃之間與臟氣結縛堅牢推之不移者是也、瘕者假物成形、推之乃移動也、痃者近臍左右各有一

條筋脉急痛大者如臂次者如指因氣之成如弦之狀故名曰痃癖者在兩脇之間有時而痛故名曰癖病者病在小腹牵引腰腹爲病大抵推之不動爲癥移動爲瘕痃癖與病則與腹俱痛即現不痛即隱治法宜調補脾胃爲主佐以消導若形氣充寔者調其氣而破其血消其食而豁其痰衰其太半而止不可猛攻以傷元氣或曰待塊消盡而後補養則胃氣之存也幾希不惟不勝治終亦不可治也又凡脉弦急者生虚弱微細者死

陰腫

有因脃絡虛損風冷客之與血氣相搏而腫者有因鬱怒傷損肝脾有因房劳過度濕熱下流者有因慾勝而熱甚生虫以致腫癢叒作者皆宜遠房室而速治之否則邪氣漸盛陰戶潰爛不收矣若氣血虛弱用補中湯坤一舉而升之肝經濕熱宜龍胆瀉肝湯日六二滲而清之肝脾鬱怒元氣下陷濕熱壅滯朝用歸脾湯坤三十加升柴解鬱結補脾氣夕用加味逍遥散日八清肝火生肝血除濕去熱前陰所過之脉有二一曰

肝脉二曰督脉經曰足厥陰之脉入毛中過陰器抵小腹是肝脉之所過也督脉起於小腹以下骨中央女子係廷孔循陰器男子循莖下至篡與女子等是督脉之所過也

○陰癢陰瘡

多屬虫食所爲始因湿熱故生一二虫在膓胃間因臟虚乃動其虫侵蝕陰中精華故時作痒甚則癢痛不已或潰爛或瘡在室女寡婦尼姑多犯之因積想不遂以致精血凝滯釀成湿熱久而不散遂成三虫癢不可忍深入臟腑則死令人

發熱惡寒與痨相似亦有房室過多以致熱壅腫癢內痛外爲便毒莫不由過慾損傷肝腎腎陰虧而肝火旺木鬱思達肝經鬱滯之火走空竅而下注爲癢爲虫宜竜胆瀉肝湯或逍遥散日丁以主其內外用蛇床子煎湯薰洗再以桃仁研膏和雄黃末滲鷄肝餅納陰中以制其虫若肢體倦怠陰中悶癢小便赤澁者用歸脾湯坤十五加山梔白朮甘草丹皮若徒以濕熱爲事燥濕清熱則氣血日衰所害不止陰癢矣

陰冷

因勞傷子臟風冷客之若小便澁滯小腹痞痛宜龍胆瀉肝湯若小便澄清飲食少思大便不實治以八味丸玄一八味治血弱不能榮養臟腑津液枯澁寒客子臟陰冷者甚驗也

陰挺下脫

牽引腰腹膨痛者或因胞絡傷損或因子宮虛冷或犯非理房事或因分娩音慢娩者産子也用力所致當以升補元氣爲主若肝脾鬱結氣虛下陷宜補中湯坤一肝火濕熱小便赤澁宜竜胆瀉肝湯日大二

陰中突出

陰中突出如菌四圍腫痛便數晡熱似癢似痛小便重墜此肝火濕熱而腫痛脾虛下陷而重墜也先以補中湯坤一加山梔茯苓青皮以清肝火升脾氣更以加味歸脾湯日百三八調理

新室嫁孔痛

脾鬱外以生猪油和蒜蘆末抹之而收

新室嫁孔痛者宜舒鬱和血用四物湯坤二一加香附紅花

交接出血

交接出血者此肝火太盛而疎泄過度且肝虚不能藏血脾虚不能接血也宜補中湯坤一又歸脾湯坤十一湯消息用之若六脉俱洪者此腎陰虚而不能閉藏也宜六味作湯一加五味麥門主之

陰吹

金匱曰胃氣下泄陰吹而正喧此穀氣不能上升清道復不能循經下走後陰陰陽乖僻如脇交之義是也甚或簌簌有聲如後陰失氣之狀宜補中益氣湯加五味主之

疝痃 疝音由留也痃音賢小腹下病

婦人疝痃者或肝經湿熱下注或鬱怒傷肝損脾其候兩拘小腹腫疼或玉門掀腫作痛憎寒發熱小便澁滯腹內急痛或小腹痞悶上攻兩脇者此肝經湿熱所致宜龍胆瀉肝湯二日六玉門腫脹者肝火虛也宜加味逍遙散一日八若槩投散血攻毒則誤矣

足跟瘡腫 跟古痕切音根足踵

婦人足跟足指腫痛足心發熱皆因胎產經行失於調攝虧

損足三陰虛熱所致若腫痛或出膿宜六味丸爲主玄二佐以八珍湯坤四二胃虛懶食佐以六君子湯如寒熱內熱佐以逍遙散一日十一晡熱甚頭目不清佐以補中益氣湯坤一凡發熱晡熱自汗盜汗等虛皆陰虛假熱也故丹溪云火起九泉陰虛之極也足跟乃督脈發源之所腎經所過之地諸骨乘載之本若不求其屬泛用寒凉其爲夭枉者多矣男子酒色過度亦多患此症

指熱

婦人脚十指如熱油煎此由榮衛氣虛濕毒之氣流滯經絡

上攻心則心痛下攻脚則脚痛其指如焚如脚氣之類經曰熱厥是也

臁瘡

婦人兩臁生瘡或胎產調理失宜脾胃損傷或憂思鬱怒損肝脾以致濕熱下注外臁屬足三陽易治內臁屬足三陰難痊若初起發腫赤痛屬濕毒所乘宜人參敗毒散日百三九若漫腫作痛或不腫不痛屬脾虛濕熱下注宜補中益氣湯坤一或用八珍湯坤四二加萆薢銀花之類若膿水淋漓體倦食少

內熱口乾屬脾氣弱宜補中益氣湯加茯苓酒芍若午後發熱體倦屬血虛宜前湯加川芎熟地或六味丸二玄若肢體惡寒飲食少思屬脾腎虛寒宜十全大補湯坤四三或八味丸色赤屬熱毒易治色黯屬虛寒難治

血風瘡

婦人血風瘡因肝脾二經風熱鬱火血燥所致其外症身發疙音乞癡貌瘩痛癢不常搔破成瘡膿水淋漓內症月經無定小便不調夜熱自汗憎熱惡寒倦怠懶食宜先用加味逍遙散

一日八或小柴湯坤一二合四物多加胡麻子後以歸脾湯加熟地木香

夢與鬼交

蓋因氣血虛衰思想過度神明耗損外邪乘虛而犯之其狀時笑時哭不欲見人有如對忤者是也脉則遲伏或如鳥啄或綿綿而來不知度數乍大乍小乍短乍長總由七情虛損心血神無所依而然宜用安神定志等藥正氣復而神自安外以病人兩手母指相並用綫縶當合縫處半肉半甲之間名鬼哭穴灼艾七壯果是邪祟病者乞求免灸自去矣然人之五臟

各有所藏心血虚則神無所依肝血虚則魂無所附肺氣虚則魄無所歸脾腎二經俱虚則意與志恍惚而不能主神明之官一亂魂魄已離其體夜夢鬼邪若有所見者即我之塊魄也豈真有鬼祟邪魅與之交感者耶立齋斷以七情虧損心血神無所依而然者真得病情之至理者也

嗣育條

審機

天地之大德曰生生生之氣週流遍滿何至於我而獨斬哉

孝子慈孫可不籲禱天地猛心自咎而忍自絕其本乎蓋天
地者形之大也陰陽者氣之大也惟形與氣相資而立相感
而生未始偏廢男女媾精萬物化生天地之陰陽形氣寓焉
書曰七數少陽也八數少陰也相感而流通故女子二七而
天癸至男子二八而精通則陰陽交合而始兆也易曰天地
絪縕萬物化醇男女媾精萬物化生天地之道陰陽和而後
萬物育夫婦之道陰陽和而後男女生苟父精母血不及而
能生孕者未之有也

一凡交合男女必當其年男雖十六而精通必三十而娶女雖十四天癸至必二十而嫁皆欲陰陽克實然後交而孕孕而育育而壽女未笄而交陰氣早洩未完而傷未實而動是以交而不孕孕而不育育而不壽也

一男女交孏凝結成胎者雖不離乎精血猶爲後天滓質之物而一點先天之氣萌於情慾之感者妙合於其間朱子所謂稟於有生之初悟眞篇所謂生身受氣之初者是也

一晚年無育以腎主精医皆責之於腎殊不知腎主相火必

主君火君寧相伏精血乃生蓋心之所藏者神神之所附者血血之所患者火也心慾萌而火動則血騰沸而元神虛耗不能下交於腎腎水虛寒精因之而妄洩由心火一動則相火翕然從之常觀富貴之人反多乏嗣蓋富豢縱慾而傷精貴每勞心而損神要之腎精妄洩常因火逼使然心火上炎亦由水乏弗制也且人生年三十以往精氣漸減不惟飲食男女視聽言動役志勞心皆能耗神傷精倘不知節慾豈能保天和而廣嗣胤乎

一脉訣曰血旺易胎氣旺難孕故貴乎以脉消息至於父少母老生女必羸父衰母壯生男必弱此古人之成語然有老者彊而少者弱豈無變異於其間乎但有生之初雖陽予之正育而充之必陰爲之主也天地生物必有氤氳之時萬物化生必有樂育之候猫犬至微將受娠時其牝者必狂呼而奔跳以氤氳樂育之氣觸之而不止此天然之節候化生之眞機也凡婦人一月經行一度必有一日氤氳之候於一辰間氣蒸而熱昏而悶有欲交接不可忍之狀此的候也此時逆

而守之則成丹母順而施之則成胎矣然男女交媾之時均
有其精何常有血褚氏東垣丹溪俱以精血混言幾見男子
媾精而婦人以血施之也
一世有婦人氣血充實飲食健旺而生育反少有氣血不足
飲食減少而生育偏多者何也蓋價府肌清恒存辟轂楚宫
腰細得之忍飢月滿則虧月虧則盈由此觀之弱者易育實
者難胎此實理也
別症

一求子之法先審婦人之月經調否有不調者或先或後或一月再至或間月一來有絕閉不通有頻來不止或先痛而後行或先行而後痛或紫色黑色淡色或白帶白淫白濁是皆氣血不調當按症用藥而補益之經脉調真精足則陰陽氣血和平能生子而且壽矣

虛實

一有婦人肥壯而無子或氣滯血壅或痰閉子宮而然滯則行壅則疎閉則開從實治有一婦人兩寸脉皆沉而伏知胸

中有實痰也醫以三湧三瀉三汗治之一月而有娠此千百中之一遇也大要草木不生萌芽内必有虫蠹相侵外必不得肥饒之地於此一想可不去其害而滋培也耶

治法

一婦人無子者或經不勻或血不足或有疾病或交不時四者而已治之宜調其經補其血去其病而節其慾無疾病而交有時豈有不孕者哉

一求子之道宜按方法三十時中兩日半二十八九君須算

落紅滿地是佳期金水過時空霍亂霍乱之時枉費功樹頭樹底覓殘紅但覺花開結子何愁丹桂不成叢此言婦人月經方止金水初生此時子宮正開而虛惟虛能受乃受精結胎之候正妙合太和之時宜以人事副之不失造化之妙過則子宮閉而不受胎矣

一醫之上工治無子者語男則主於精語女則主於血著論立方男子以補腎爲要女子以調經爲先又參以補氣行氣之說察其脉絡究其盈虧審而治之自可孕也然人身氣血

各有虛實寒熱之異察脉可知舍脉而獨言藥妄也脉不宜大遲而數又不宜不及而遲數則爲熱遲則爲寒不宜太有力而實實者正氣虛也而火邪乘之以實也當散鬱以伐其邪邪去而後正可補不宜太無力而虛虛乃氣血虛也惟當調補其氣血又有女子氣多血少寒熱不調月水違期皆當診脉而以活法治之務使夫婦之脉和平　交合有期不妄用藥乃能生子也嚴冬之候必有陽春是知天地之道不收斂則不能發生故冬寒得閉藏之令者　遇陽春者莫不發

育此自然之理也今人既昧收藏之理縱慾竭精以耗眞氣及其無子復云血冷又謂精寒燥熱之劑過投而眞陰益耗矣安得而有子故無子之因不獨在女亦多由於男子房勞過度施洩過多精清似水或冷如氷及憂思無窮皆難有子蓋心主神心有所思則神馳於外致君火鬱而不降腎主志腎有所勞則志亂於中俾腎水厲而不能升上下不交而能生育者未之有也

一㮔子之道有四一曰擇地母血二曰養㮔父精三曰乘時四曰投虛

乘寺者精血交感之候是也拔塵者去舊生新之初是也然少年生子多羸弱者慾盛而精薄也年老生子多强壯者慾少而精厚也多慾者子多不育蓋孕後不節慾則盜洩母陰而奪養胎之氣夫五臟各有精五臟和平則四臟之精華輸歸于腎以資其用蓋腎爲水臟乃聚會關司之所故種子有百脉齊到之論而內經有五臟盛乃能瀉之語袁了凡曰聚精之道一曰寡慾二曰節勞三曰息怒四曰戒酒五曰愼味腎爲精血之海凡男女交接必撓其腎腎動則精血隨之而流外雖不泄精已離宮未能

堅忍者必有眞精數點隨陽之痿而溢出此其驗也故貴乎寡慾精成乎血不獨房事而損精凡日用損血之事皆當深戒如目劳於視精以視耗耳劳於聽精以聽耗心劳於思精以思耗體劳於力精以力耗隨事節之則血得養而精與血俱積矣故貴乎節劳主閉藏者腎也司疏泄者肝也二臟皆有相火其系皆主屬於心心君火也怒則傷肝而相火動動則疏泄者用事而閉藏者失職雖不交合而精亦暗流潛耗矣故貴乎息怒身中之血各歸其舍則精凝酒能動血飲酒則

面赤手足俱紅是擾其血血氣既衰之人數月無房精始厚而可用一夜大醉精隨薄矣故貴乎戒酒經曰精不足者補之以味然醇濃之味不能生精惟恬淡能補精耳蓋萬物皆有眞味調和勝眞味失矣洪範論味曰稼穡作甘世物惟五穀得味之正若能淡食五穀最能生精如煑粥飯中有厚汁滚作一團者此米之精液所聚食之最能生精故貴乎愼味

處方

一凡肥婦人稟受最厚恣於飲食不能成胎謂身肥脂滿閉

塞子宮宜燥濕痰如星半蒼朮枳芎香附陳皮或導痰湯日九四之類若是瘦怯性急之人經水不調不能成胎謂之子宮乾澁無血不能攝受精氣宜凉血降火如四物湯加黄芩香附養陰補血及六味地黄丸玄二之類

一凡男子體厚脉沉小年雖幼而陽不固是禀 氣之不足也宜多服人參膏日百四十或加茋朮中年陽道痿弱身體益肥姫妾多而不孕是胃中脂膜雖盛而氣内怯也宜補中益氣湯坤一加鹿膠杞子附子肉蓯蓉瑣陽之類兼補相火宜減厚

味甘肥使濁氣清而眞精固也如脾胃不和食少倦怠每使
內弱益甚而不能成胎者是中氣弱而不能施化也宜多服
補中益氣湯一坤如黑瘦脈弦數身體多熱腸胃燥澁而不能
成胎者是陰水不足也雖胎亦夭宜六味加知栢歸身杞子
爲丸服之務使陰陽和平乃能生子不必定在熱藥也女子
系胞於腎及心胞絡皆陰臟也虛則風寒乘襲子宮乃絕孕
無子非得溫煖之藥則無以去風寒而資化育之妙宜用辛
溫之劑更益以補養氣血之藥若徒事辛溫則反增燥熱之

勢何以爲化育之機乎故血海虛寒而不孕者戒用煖藥但人之胎孕陽精之施也必陰血能攝之精成其孕血成其胞若有眞陰不足陰虛則火旺陽勝則內熱而血枯是以不能攝受精氣者又不可純用辛溫之藥也

一婦人不孕亦有六淫七情之邪傷其衝任或宿疾淹留傳遺臟腑或子宮虛冷或氣盛血衰或血中伏熱或脾胃虛損不能榮養衝壬或有積血積痰凝滯胞絡更能審男子形質何如有腎虛精弱有禀受不足氣血虛損有嗜欲無度陰精

衰敗各當求其源而治之又當詳看男女尺脉若有尺脉細或虛大無力用八味丸玄一左尺脉洪大按之無力用六味丸玄二兩尺俱微細或浮大用十補丸玄二五若徒用辛温燥血不惟無益反受其害矣

用藥

一水虛者六味地黄丸

一火虛者八味地黄丸

一氣虛者參苓朮黒姜五味

一血虛者芎歸熟芍烏鷄澤蘭
一陰虛者阿膠龜膠人乳牛乳石斛
一陽虛者枸子蓯蓉大附官桂蛇床巴戟
一補精血者麋鹿茸膠
一痰盛者用二陳日二九南星橘紅神曲香附

受胎總論

一凡受胎之候要在月經方過一日三日交合者新血未盛精勝其血感者成男且乾道成男之義也四日六日交合者

新血漸盛血勝其精感者成女且坤道成女之義也又曰陰血先至陽精後衝從氣來乘血開裹精精入爲骨陽内陰外而成坎卦之象是則精勝其血故陽爲之主男形所由以成也若陽精先入陰血後參横氣來助精開裹血血入居中陰内陽外而成離卦之象是則血勝其精故陰爲之主女形所由成也褚氏曰男女交合二情和暢陰血先至陽精後衝則成男陽精先入陰血後參則成女聖濟經云天之德地之氣陰陽至和流薄一體因氣而左動則屬陽陽資之則成男因

氣而右動則屬陰陰資之而成女易曰乾道成男坤道成女是也一父精母血因感交會精之洩陽之施也血能攝精精成其骨此萬物資始於乾元也血則外護而成胞精則內實而化育此萬物資生於坤元也陰陽交媾胚胎凝結胎所居名曰子宮一系在下上有兩岐一達於左一達於右精勝其血則陽爲之主受氣于左子宮而男形成精不勝血則陰爲之主受氣於右子宮而女形成

馬玄臺曰男子先天之氣方父母媾精寺陰氣不勝其陽則

成男女子先天之氣方父母媾精時陽氣不勝其陰則成女凡書所謂陰血先至陽精後衝縱氣來乘血開裹精陰外陽內則成男陽精先入陰血後參横氣來助精開裹血陰內陽外則成女其義亦皆茫渺也

程鳴謙曰信褚氏之言則人有精先洩而生男精後洩而生女者何也信東垣之言則有經始斷交合生女經久斷交合生男亦有四五日以前交合無孕八九日以後交合有孕及雙胎而一男一女何歟豈奇日受男偶日復受女之理乎俞

子木又謂微陽不能射陰弱陰不能接陽信斯言也世有尫羸之夫怯弱之婦屢屢受胎而氣血方剛精力過人者往往有終身不育者何也丹溪論婦人以經水爲主然富貴之家侍妾亦多其中寧無月水如期者又有經前夫頻育而娶此以圖易則不受胎豈能受於此而不能受於彼耶大抵父母之生子如天地之生物易曰坤道其順乎承天而時行知地之生物不過順承乎天則知母之生子不過順承乎父而已知母之順承乎父知種子者當以男爲主也豈可專責於婦

人耶在男子則不怕老少強弱康寧病患精之易洩難洩只以交感之時百脉齊到爲善耳若男女之辨不以精血先後爲拘不以經盡幾日爲拘不以夜半交合前後爲拘不以父母強弱爲拘只以精血各由百脉齊到者別差勝耳凡精之百脉齊到者勝乎血則成男血之百脉齊到者勝乎精則成女矣百脉齊到者快遂之極而無一毫之勉強也

丹溪曰或問雙胎者何也曰精血有餘歧而分之血因分而攝之也若男女同孕者剛日陽時柔日陰時感則陰陽混雜不屬左不屬右受氣於兩岐之間亦有三胎四胎猶是而已

人鏡經曰精血盛則成二男血氣盛則成二女精血俱盛則成一男一女精血混雜則成非男非女男不可爲父得陽道之厥者也女不可爲母得陰道之塞者也皆非純氣或感邪祟鬼怪之沴氣則成異類也

李東垣曰乾道成男坤道成女此男女生生之機陰陽造化之良能也齊褚澄言血先至裹精則生男精先至裹血則生女陰陽均至則非男非女之身精血散分品胎駢胎之兆

馮先師曰經曰陽予之正陰爲之主蓋謂陽施正氣萬物方

生陰爲主持群形乃立更觀易論坤道其順乎承天而時行則知地之生物順承乎天母之生子亦不過順承乎父則重子者當以男子爲主豈可專責於婦人耶此誠天生地成之大道陽施陰長之至理每見男子六脉洪大尺脉有力生子多女少六脉沉細尺脉沉微生子少女多生男亦夭此屢驗也况兩神相摶合而成形神也者無形之謂也惟其無形故能生出有形葢造化之理皆生於無也豈日數糟粕有跡之謂歟故神者生身之本也然必因乎精氣何也葢神本無體

以氣爲體精無定形以氣爲形體物有三根本則一主雖惟
神養其精氣神必附物精能凝神三者互用不可相離乎叔
所謂穷取生身受氣初夫水之精爲志而火之精爲神也蓋
慾無火不動惟此一點無形元陽之眞火以鼓無形黙用之
眞神經曰藏於中者命曰神機蓋以神爲機發之主動用之
道不期然而然物莫之知若可以言語形容者便非神之爲
用也更觀邪淫苟合者無心種子偶意爲之易成胎孕蓋心
專神篤慾火熾而氤氲之氣濃密也安居妙合者專心種玉

而兢兢業業每見無功蓋心耗神馳慾火衰而氤氳之氣反薄也可見莫非由於神由於火也更莫非由於陽之爲用也旣禀天地之道而陰陽之至理莫能外之故陽旺多生男陰盛多生女卽乾道成男坤道成女之義也更觀古者生人之候常多外因有感而成卽此情之感觸亦莫非神之爲用然神之爲神亦莫非火之爲精也若無火以克其神則無氣以生精三者旣失則一團死灰矣焉有陽和化育之道情性感觸之用哉古云三月始胎未有定儀氣類潛藏造化密移此

亦天地化工之所有何得執以爲盡無先哲立言曰陽生陰長又曰陽施陰化曰長曰化豈無用意於其間哉

驗胎脉 附辨男女

受胎之脉經曰身有病（有病曰經閉也）而無邪脉者有胎也（凡經閉之脉尺中來而斷絶旡邪脉者尺中和匀而旡病爲有別也）脉訣曰滑疾不散胎三月但疾不散五月焉至六月後則疾速亦無矣（凡滑利之脉應指疾而不散滑爲血凝疾不散乃血液結歛之象是爲胎三月若但疾不散是從虛漸實血液堅凝轉成形体故不滑此妊娠五月之脉也）然有終始洪數不変者其氣血甚盛不可一例拘也

經曰婦人足少陰脉動甚妊子也此腎脉也動者如豆厥厥動揺也腎爲天一之水主子宮以繫胞胎孕之根蒂也滑利則不枯澁有替替含物之象是爲有胎之實者也陰搏陽別亦謂之有子陰尺中搏謂搏觸於手尺脉搏擊與寸脉殊別有妊之脉也叔和謂尺中之脉按之不絶亦此義也陰搏於下陽別於上血氣調和有子之象手之少陰其脉動甚尺脉不絶此爲有孕手少陰屬心心主血脉腎爲胞門脉應乎尺或寸脉微開滑尺数往來流利如雀之喙或診三部浮沈正等或平而虛月水閉尺脉和匀以爲有孕三部浮沈正等無何病而不月何也脉經曰三部沈浮一止按之無絶妊子也又何常拘於洪滑爲取体弱之婦尺内按之不絶便是有孕盖体弱而脉難顯也尺大而旺者爲有妊也月斷病多六脉不

病亦爲有子、蓋人病而脉不病氣血有所養也、

辨男女

脉左疾爲男右疾爲女俱疾生兩子以男屬陽居左氣屬於陽故左脉疾於右以女屬陰居右氣終於陰故右脉疾於左又曰沉實在左浮大在右左男右女可以預剖又曰左右俱疾生二女、又曰左脉尺內偏大者爲男右脉尺內偏大者爲女左右俱大爲産二子大者爲實壯也卽陽搏陰別之義也

張景岳曰左右分陰陽則左爲陽右爲陰以寸尺分陰陽則寸爲陽尺爲陰以脉體分陰陽則鼓搏沉實爲陽虛弱浮澁

爲陰諸陽實者爲男諸陰虛者爲女爲一定之論陽氣聚面男子面重胎必伏陰氣聚背女子背重胎必仰溺死之人者亦然也大要沉實者爲男沉細者爲女右尺脉浮大者固知是女左尺脉浮大者大抵皆男沉細爲女沉實爲男即所謂諸陽爲男諸陰爲女者是也又看腹如箕爲女胎腹如釜爲男胎蓋男女孕於胞胎中女面母腹則足膝抵腹下大上小故如箕男面母背則背脊抵腹其形正圓故如釜又曰胎有男女而成有遲速男動在三月陽性早也女動在五月陰性遲也又曰三月五月動者多男四月六月動者多女

婦道前卷終　清義奉書

嗣德三十三年九月十五日刊

本省堂列憲大人續助叁百貫

[redacted]

大山社秀才阮　謂續助弍拾貫

明鄉秀才石廷誠　題助五貫紙三百張

中奇典司中支閒題助三貫　新寧庸義利號黎庭佛　助十貫

安豊縣潘浩滿九品醫生阮光儀題助十貫

後威奇典籍曹有桂題助十貫　北藩書吏陳德潤題助五貫

（此頁據中國國家圖書館藏本配補）

新鐫海上醫宗心領全帙卷之二十七

婦道燦然集後卷

目次

腹中兒哭　胎動胎漏　子死腹中
墜胎　胎不長　鬼胎
膓覃似孕　畜血似孕
胎孕変常紀

臨產條

產後條

產後雜症條

血暈　惡露不下　惡露不絕
頭痛　心痛　腹痛
小腹痛　腰痛　膓痛
積聚癥瘕　嘔吐　泄瀉
痢病　呃逆　氣喘
浮腫　手足身痛　發熱
傷食發熱　虛汗　頭汗鬱冒
中風　痓病　口噤

目次畢

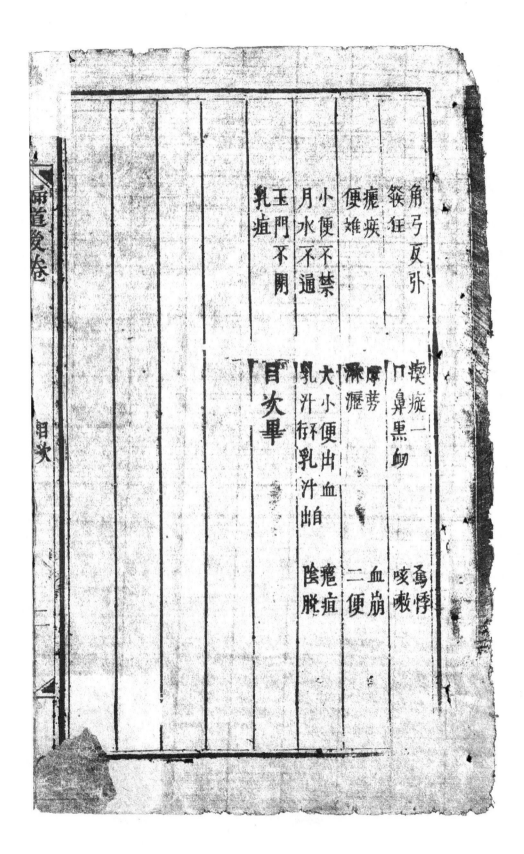

皇朝嗣德萬萬年歲次庚辰三十三年正月吉月刻

板留同人寺

婦道燦然集後卷

海上懶翁黎氏纂輯
後學唐鄗武春軒奉較

胎前條

審機

巢氏曰妊娠一月凝成一粒如露珠然乃太極動而生陽名曰胚胎天一生水謂之胚足厥陰脉養之經水即閉飲食稍異二月名始膏變成赤色如桃花瓣乃太極靜而生陰地二

生火謂之䏚一作胎足少陽脉養之吐逆惡阻或偏嗜一物以見一臟之虛也三月名始胎手厥陰脉養之形象始化乃分男女乃太極之乾道成男坤道成女也易曰一陰一陽之謂道天人一理男女構精萬物化生乾爲諸陽之首坤爲諸陰之首乾道成男坤道成女男女生生之机也四月始受水精以成血脉形象具六腑成手少陽脉養之五月始受火精以成陰陽之氣筋骨已成毛髮始生六月始受金精以成筋口目皆成足陽明脉養之七月始受木精以成骨遊其魂能動左手肺位于左而藏魄也手太陰脉養之八月始受土精以成皮膚形

骸漸長九竅皆成遊其魄能動右手肺位于右而藏魄也手陽明脉養之九月始受石精以成皮毛百節畢備三轉其身足少陰脉養之十月足太陽脉養之精神備足受氣而生獨君主無爲故無所養也

○一有養胎以五行分四時論者凡人自受胎爲胞門則手足十二經脉其氣血周流俱以攤養胎元豈有逐月分經某經養某月之胎之理耶馬玄臺已駁之矣故不具載巢氏一月二月是論受胎之月數爲近理也

別症

胎前諸症皆因胎氣所致夫胎動胎漏皆下血但胎動有腹痛胎漏無腹痛故胎動宜行氣胎漏宜清熱也惡阻者惡心而阻嗝飲食也肥者多痰瘦者多熱宜二陳湯加减日九三子煩者煩燥悶亂心神也子癇者痰涎潮搐目吊口噤也子腫者面目虛浮肢体腫滿也子氣者兩足浮腫也子淋者小便澁少也轉胞者小便不通也子懸者胎氣不順湊心脹痛也蓋脾主運化婦人有胎則水穀運化不利而生濕濕則生痰痰生熱熱生風也子腫子氣者濕也惡阻者痰也子煩子淋

者熱也子癎者風也子懸者氣也轉胞者虛也溼則滲之痰則消之熱則清之風則平之氣則散之虛則補之總以袪邪保胎爲主宜詳考在雜症條下

虛實

體厚脉實青年無病健食爲實体弱脉虛中年多病食少爲虛大要蒸藿辛苦之人多實膏粱安佚之人多虛

治法

當胚膏之始眞氣方遇如桃花凝聚柔脆易傷也食必忌辛

辣恐散其凝結味必稍甘美欲扶其柔脆二氣旣凝如泥在鈞如金在鎔惟陶冶之所成食氣於母所以養其形食味於母所以養其精形精爲滋育氣味爲根本母寒子寒母熱子熱母飽亦飽母饑亦飢因虛而感隨感而变故胎前可不愼爲調攝哉

一墮胎宜防於一三五七月葢單月皆臟養胎而三月又相火所主胎最易動尤宜愼之當服清熱凉血安胎之藥又以按月養胎之臟腑氣血虛實調之

一聖濟云或者以妊娠勿治有傷胎破血之論豈知邪氣暴戾正氣衰微苟執方無權縱而勿藥則母將衰弱子安能保經云重身毒之有故無殞衰其太半而止處以中庸與疾適當亦何疑於攻治哉慎之者恐尅削破血有傷胎耳

其安胎之法有曰如母疾以致胎動者但療母則胎自安若胎氣不固或有觸動以致母病者宜安胎則母自愈禁下婦汗利

人年幼天癸未至屬少陰天癸既行屬厥陰天癸既絕屬太陰治胎産病從厥陰者是祖氣生化之源也治法無犯胃氣

者是後天化生之源也及不可汗不可下不可利小便者恐亡其津液而傷其生氣也

凡兒在母腹中食氣於母所以養其精食味於母所以養其形故胎元以脾胃飲食爲本母子咸賴之今人膏粱厚味鬱抑氣惱而氣血漸衰痰火必熾而惡阻子癎子腫等症作矣然胎前諸症皆以安胎爲主務使氣血和平則百病不生若氣旺而熱熱則耗氣血而胎不安當清熱養血爲主若起居飲食調養得宜絶嗜欲安養胎氣則雖感别症無大害矣

丹溪曰白朮黃芩安胎之聖藥俗醫謂溫熱之劑可以養胎不知胎前最宜清熱令血循經而不妄行故可安胎白朮益脾以培萬物之母黃芩清火以滋子戶之門與其利以除其害而胎自安益母草活血行氣有補陰之功胎前無滯產后無虛以行氣中有補也胎至三四月忽然腹痛惟砂仁及些少木香能治痛行氣以安胎也八九月必須順氣用枳殼紫蘇之屬但氣虛者宜補氣以行滯用參朮陳皮歸芎甘草腹皮氣實者宜耗氣以抑陽用芩朮陳皮甘草加枳殼

趙養葵曰或問白朮黃芩安胎之聖藥胎前必不可缺乎曰未盡然也胎莖之繫於腎猶鐘之繫於樑棟柱不固其樑必撓所以安胎先固兩腎使腎中和煖脾始生氣何必定以白朮黃芩爲安胎耶凡腹中有熱胎不安者宜用凉藥腹中有寒胎亦不安必用溫藥此其常也況兩腎中具水火之源爲衝任之根而胎元之所繫甚要非白朮黃芩之所能安也如腎中水虧必宜壯水（六味地黃玄二）腎中火衰則宜益火（八味地黃玄一）調經當用杜仲續斷阿膠艾葉當歸五味出入於水火湯中爲

提徑總之一以貫之也諸書之所未及此趙氏之創論也濟
先師表而出之且臟腑之所稟寒熱不同有臟寒不孕者服
八味十補而始受胎者則受胎之後仍照常服蓋臟腑服慣
不覺桂附之熱習以爲常竟相安於無事更可長養胎元也
若停止煖藥加以條芩清熱之品豈知能得補陽升舉者必
不利於補陰下降哉必至墮胎之患而且又損於胎元矣虛
極之人臟腑春夏陽和升長之氣少秋冬陰寒下降之氣多
也古人用黃芩安胎是因子宮過熱不寧故用苦寒以安之

然氣血旺脾胃和胎自無虞一或有乘其胎即墜是以胎元全賴氣血以滋養而氣血又藉穀氣以化生故脾爲一身之津梁主內外諸氣而胎元運化之機全賴脾土故用白朮以助之然惟形瘦血熱營行過疾胎常上逼過動不安者爲相宜若形盛氣衰胎常下墜者非人參舉之不安形實氣盛胎常不運者非香砂耗之不安血虛火旺腹常急痛非歸芍養之不安体肥痰盛嘔逆眩暈者非苓半豁之不安此皆治母氣之偏勝也

一地之體本重然得天氣以包舉之則生機不息若重陰互寒之區天日之光不顯則物生實罕如人之體臟肉豐盛乃血之榮旺但血旺易致氣衰久而彌覺其偏也夫氣與血兩相維而不可偏氣爲主則血流血爲主則氣反不流非氣之衰也氣之不流有似乎衰矣故一切補氣之藥皆不可用而耗氣之藥反有可施緣氣得補則愈錮不若耗之以助其流動久之血仍歸於統握中矣南山道士進瘦胎丸得此義也

一女之腎臟以繫胎是母之眞氣而子賴之以生養也受妊

之後宜令鎮靜則氣血調和內遠七情外薄五味大冷大熱之物皆在所禁雨露風邪不得乘間而入亦不得交合陰陽觸動慾火謹節飲食若食兎缺唇食犬無聲食雜魚致瘡癬心氣大驚而癲疾腎氣不足而解顱脾氣不和而羸瘦心氣虛乏而神不足兒從母氣不可不慎苟無胎動胎痛瀉痢風寒外邪不可輕易服藥

一便產須知曰勿亂服藥勿過飲酒勿妄針灸勿向非常地便勿登高涉險舉重勿恣欲行房心有大驚犯之難產子必

癲癇勿多睡卧時行時步勿劳力過度使腎氣不足生子解顱衣無太温食無太飽若脾胃不和榮衛虚怯子必羸瘦多病如犯修造動土犯其土氣令子破形隕命刀犯者形必傷泥犯者竅必塞打擊者色青黯繫縛者相拘攣若有此等驗如影響切宜忌之

巢氏曰妊娠三月始胎而形象始化未有定儀因感而變欲子端正莊嚴宜口談正言身行正事欲生男者宜佩弦執弓矢欲生女者宜佩韋施環珮欲子美好宜佩白玉欲子賢能

宜讀詩書古人轉女爲男之法或以絳紗囊佩雄黄於左者或潛以夫髮及手足甲置席下者或潛以斧置床下繫刃向下者或潛以雄鷄尾長尖毛三莖置蓆下者勿令本婦知之此蓋外象内感不信以鷄試之則一窠皆雄也蓋胎化之法亦理之自然故食牡鷄取陽精之全於天產者佩雄黄取陽精之全於地產者操弓矢藉刀斧取剛物之應於人事者氣類潛感造化密移物理所有故姙婦見神像異物多生鬼怪即其徵矣象牙犀角紋逐像生山藥鷄冠形隨人變以卵告

灶而抱雛以苕帚掃猫而成孕物且有感況於人乎然造物有不毛之地人應之婦人有無子宮者造物無不雨露之天人應之男子皆能施化往往自失其道致斬萬世之傳圖子者可不猛然自省乎

○處方

如將臨月胎熱者以三補丸日五六加香附白芍或地黃膏血虛者不外四物地黃湯日百四加益母預爲分娩地步也至於世醫安胎多用芆附砂仁爲害尤甚不知氣血清和無火煎爍則胎安而固氣虛則提不住血熱則溢妄行胎欲不墜其

可得乎香砂皆香燥之品氣血兩傷適足以損胎矣惟寒鬱
氣滯者宜之
馮先生治惡阻久吐不止脈微肢冷者竟用附子理中湯日四
加五味連服數日乃安但必參朮炙草倍加則能乘載胎元
其姜附之性惟從參朮之性以溫補中州即附子走下之力
不能獨發以施其用也
一若因風寒所傷而胎不安則桂枝湯日百二四香蘇散葱白香
豉湯諒所宜用伏邪時氣尤宜急下此即安胎之要訣下藥

中衛芒硝切不可犯若有客犯而用白朮使熱邪留戀不解若素患虛寒而用黃芩則脾胃中氣愈傷皆足以傷胎矣昔湖陽公主體肥難產南山道士進瘦胎方良四横而產得順利蓋肥滿之軀胎處其中全無空隙以故傷胎之藥只能耗其外之氣而不能耗其內之眞氣此用藥之妙也故胎前宜順氣氣順則不滯用枳殼束胎散良四横皆爲氣實肥盛安佚鬱悶者立法耳若氣體微弱元氣不足或虛氣脹滿或虛寒腹痛必宜參朮大補豈謂胎前必宜耗氣之藥乎

一婦人姙娠惟在扶陰抑陽而已然胎前用藥最惡群隊若藥無專一則陰陽交錯别生他病惟枳殼散所以抑陽四物湯所以助陰但枳殼散少寒单服恐致胎寒腹痛之患以內補丸佐之則陽不致強陰不致弱陰平陽秘而胎孕安盡婦人平居陽氣爲盛無諸痰病則受娠自能經閉而養胎若陽氣太盛則陽搏於陰乃經脉妄行胎始不固故貴抑陽助陰者以此焉

丹溪曰世之難産者往往見於鬱悶安佚之人富貴奉養之

家若貧賤辛苦者無有也方書只有瘦胎飲一案實非至當之論彼湖陽公主乃奉養太過其氣必實耗其氣使之和平故易產枳殼抑陽降氣也溫隱居加木香當歸佐之若形肥之人其氣必虛久坐其氣不運而氣愈弱兒在胞胎因母氣不能自運故難產當補其母之氣則兒健易產矣遂於大全方日百四五紫蘇飲良撰六加參朮補氣藥隨母形色稟性參時加減名曰達生散良撰一人參白朮白芍當歸腹皮紫蘇陳皮甘草加砂仁枳殼勝於瘦胎散多矣

一胎前用藥清熱養血爲主而清熱養血之後惟以補脾爲要此培後天元氣之本也若養葵則不用芩朮而以地黄飲玄一加杜續以補腎夫胎繫於腎腎固則胎自安此補脾不若補腎之妙也各具至理察候用之然勞神動怒情慾之火俱能墮胎蓋原其故皆因於熱夫火能消物造化自然如慣墮之婦或少食而中氣不調且不必養血先理脾胃次服補中益氣湯坤一脾胃旺飲食彊方能氣血有自而生也

一胎二三月忽然腹痛不安用當歸飲當歸二ソ阿膠甘草各ソ

葱四莖煎服如經閉疑似者用驗胎法以川芎爲末一リ五更艾湯調服腹中安靜爲經病有覺微動者爲有孕

一如因經墮胎胎氣不和轉動不安臍腹疼痛者用驗胎法以川芎末調温酒下二錢加當歸尤妙如胎不安及腰痛不可忍者古續斷丸日百四六尤妙若因寒因滯者草砂仁散砂仁末米飲下止痛行氣最捷但不可多服防其積熱也有六八九月方可服

一感風咳嗽頭痛發熱參蘇飲去半夏熱服潤機而已風熱者雙解散日百四五去芒硝石羔

一感寒胸滿嘔苦腹滿痛大便清者大正氣散日百四八去半夏加吳茱阿膠

一感暑眩身煩渴尿赤驚惕嘔吐臍下苦急者香茹散日百四九合苓朮湯日百五十或十味香茹飲日百五一

一感濕腹脹身重者平胃散泄者三白湯坤十九加砂仁厚朴蒼朮內熱者加黃芩內傷勞力以致小腹常墜甚則子宮墜出者補中益氣湯坤一如因房勞者八物湯坤四二加酒炒黃芪爲君防風升麻爲使

一內傷飲食胸腸滿痛者平胃散（日三四）換白朮加山查麥芽黃連

一內傷姜椒熱酒腥膻炙煿以致胎熱令母兩目失明頭痛腮腫項強者消風散（日百十五）或四物湯（坤一二）加芩連荊防

一內傷生冷崩血或有感寒以致胎冷不轉臍腹絞痛腸鳴泄瀉者宜從權以理中湯（日四十）之劑治之泄甚加木香訶子陳皮白芍粟米中病即止

一因感傷以致胎虛寒者八物湯加吳茱阿膠

用藥

安胎杜仲固胎續斷黃芩胎熱白朮補脾砂仁胎寒何首烏益母野苧根補氣參朮苓甚草補血芎歸熟芍丹參澤蘭沙參氣滯枳殼蘇梗香附陳皮厚朴清熱黃芩黃栢梔子感中寒乾姜吳茱煨姜肉桂大附姜桂附中病即止

胎前雜症條

惡阻

惡乃惡心阻乃阻其臟氣不得宣通也婦人食穀味亻為氣血下為月水凡姙娠之初月水乍聚一月為媒二月為胚三

月爲胎胎旣成則上食於母然在三月相火化胎之候未能上食於母血氣未周五味未化中氣壅實其爲鬱滯痰火穢惡之氣盡衝於胃所以惡心有阻也姙婦稟受怯弱多有此症金匱曰婦人得平脉陰脉小弱其人饑不能食無寒熱而惡阻此姙娠也於法六十日當有此病其候嘔逆不食或心煩悶狀如醉酒肢體沉重擇食惡食頭目昏眩惡聞食氣多睡少起酷嗜酸鹽菓實乃肝腎不足引以自救也設有醫者治逆却一月加吐下者則絶之謂絶止医治候其自愈也

一血既養胎心失所榮是以心虛煩悶法當調血散鬱用參朮草補中氣橘紅紫蘇木香生姜散鬱氣茯苓麥冬黃芩竹茹清熱解煩名參橘飲所謂胎前須順氣者此也但胎前無寒産後無熱至於惡阻嘔吐尤多屬熱然亦有因寒而吐者乃因病而非因惡阻也止則虛矣當以人參乾姜半夏丸主之不可過用辛藥者吐甚而愈止愈急者停藥月餘自安千金方有半夏茯苓湯（日百五三）茯苓丸（日百五四）專治惡阻比來少有服者以半夏能動胎（胎初結慮其辛燥易散也）須姜汁炒以制其毒丸

惡阻非半夏不能止故仲景用人參半夏乾姜凡日百丑五羅識
用二陳日九三去陳皮甘草名半夏茯苓湯丹溪謂肥人多因
痰瘦人多因火用二陳加減兼治胎前惡阻痰逆嘔吐心煩
頭眩惡食俱效經曰有故無殞是也立齋曰半夏乃健脾氣
化痰滯之聖藥脾胃虛弱嘔吐或痰涎壅滯飲食少胎不安
必用半夏茯苓湯倍加白朮安胎健脾常用甚驗也惡阻而
兼腰痛者防胎墜下尤宜二陳四物坤四三加條芩白朮和中
理脾為主不可升舉蓋嘔逆者氣既上升藥再上升則犯有

升無降上更實而下更虛益觸其墜矣

子煩

姙娠煩悶惟有四症有心中煩有胸中煩有子煩諸屬於熱若臟虛而氣乘心令人煩者名虛煩若積痰飲嘔吐涎沫者名胸中煩或血積停飲寒熱相搏致胎氣不安謂子煩大抵多由陰既養胎孤陽獨旺心肺虛熱是以撓乱不寧更有時當盛夏君火大行俱能乘肺以致煩燥胎動不安此因時而發之也亦當因時治之生脉散（月四七）最佳或用知母爲末蜜

心炙人實大每三丸酒下心神不安者硃砂安神丸（日百五大）煩甚恐傷胎者罩胎散（日百五十）切不可以虛煩藥治或有停痰積飲滯於胸膈而煩致動胎者用茯苓防風麥冬黃芩等分竹葉減半水煎入竹瀝調服

煩燥口乾

姙娠煩燥口乾者足太陰脾經其氣通於口手少陰心經其氣通於舌若臟腑氣虛熱乘心脾津液枯燥故心煩口燥與子煩大同小異宜知母丸（日百五八）若肝經火動加味逍遙散（日八一）

若腎經火動加味地黃丸調

一古有婦人暴渴惟飲五味汁名醫耿隅診其脉曰此血欲凝非瘵也已而果孕故古方有血欲凝而渴飲五味汁其症本屬肺腎二經有火蓋火入於肺則煩入於腎則燥胎繫於腎腎水養其胎元則不足以滋腎中之火火上燥肺變爲煩燥此金動水涸之候法當滋其化源清金保肺重濁壯水滋腎爲主

子懸

本草方云紫蘇飲良模大治妊娠胎氣不和懷胎逼上脹滿疼

痛名子懸子懸者濁氣舉胎上湊也胎熱氣逆心胃脹滿疼症挾氣者居多疎氣舒鬱非紫蘇腹皮川芎陳皮無以流氣非歸芎無以養血血氣既和而胎自降然邪之所湊其正必虛故以人參甘草補之又有曰姙娠心腹脹滿者由腹內素有寒氣致令停飲與氣相爭故令心腹脹滿者也須以脉之遲數辨之不能食者古苓朮湯倍以白朮白芍若火盛極心氣悶絶欲死紫蘇飲連進救之

子滿子腫子氣

子滿者婦人胎孕至五六箇月腹大異常胸腹脹滿手足面目浮腫氣逆不安小便不通此由胞中蓄水名曰胎水若不早治生子手足軟短有疾或胎死腹中用千金鯉魚湯日百六六治其水若脾虛不運清濁不分佐以四君子湯坤十若面目俱浮肢體如水氣全生白朮散日百一若脾濕虛熱下部作腫補中湯加茯苓坤一若飲食失節嘔吐泄瀉六君子湯坤十二若腿足發腫喘悶不寧或指縫出水天僊藤散日百六四若脾肺氣滯加味歸脾湯日百三六佐以加味逍遙散日八一然遍身浮腫而腹腫脹

滿之甚者名爲子滿若止脚面浮腫行步艱難或脚指間有黄水出者謂之子氣直至分娩時方消也故姙娠脚腫至八九月及脛脚俱腫并水氣比不可以水病治之反傷眞氣凡有此者必易産因胞臟中水血俱多不致燥胎故也若初胎即腫是水氣多兒未成體則胎必壞子腫與子氣相類但子氣在下体子腫在頭面若子滿在五六月以後比子氣與子腫不同蓋腫大則滿滿則其氣遍身而浮腫也

腹痛胎痛

金匱曰婦人姙娠六七月脉懸發熱其胎愈脹腹痛惡寒小腹如扇者子臟開故也當以附子湯日百六五温其臟除患可曰六七月胃肺養胎而氣爲寒所滯故胎愈脹寒在內腹痛惡寒慾惡寒有屬表者此連腹痛乃知寒傷內矣小腹如扇陣陣作冷如扇之狀惡寒之異也且獨在小腹因子臟受寒不能合故小腹獨開不能歛也子臟卽子宫附子能入腎經温下焦故宜附子湯温其經

姙婦偶有所傷胎動不安痛不可忍用帶殼砂仁不拘多少

和皮炒黑色爲末熱酒下三錢不飲酒者米飲下腹中覺熱者胎自安矣

一姙娠心腹痛或宿有疲疼或新觸風寒皆因臟虛而發也邪正相擊而併於氣隨氣上下上冲於心則心痛下攻於腹則腹痛邪正二氣交攻於內若久不瘥痛冲胞胎必致胎動深古地黃當歸湯日百六六治婦人有孕胎痛丹溪以血虛治之故四物湯倍熟地去川芎此心法也姙娠不時腹痛或小腹重墜名胎痛地黃三錢當歸一錢煎湯主之加入參白朮陳皮因

中氣虛而下墜作痛補中益氣湯以舉之

腰痛

妊娠腰痛多屬勞力任重故傷胞繫則痛甚則胞繫欲脫多致小產故宜安胎爲主胎安而痛自愈痛愈而胎能安若妊安佚而腰痛必房事不節致傷胞繫也脉緩遲天陰或久坐而痛者濕熱也腰重如帶物而冷者寒濕也脉大而痛不已者腎虛也脉濇而日輕夜重者氣血凝滯也脉浮者風邪所乘也脉實者閃挫者也臨月腰痛如脫腎者將產也

（此頁據中國國家圖書館藏本配補）

胎漏下血

熊宗古曰有娠婦月信不絶而胎不損者此氣衰血盛其人必肥若以漏胎治之則胎必墜不作漏胎治之其胎未必墜誠有旨也

巢氏曰有娠則經血畜以養胎若既娠而月信每至亦未必因血盛也此因榮經有風則經血喜動以風勝故也所下者非養胎之血若作漏胎治必服保養補胎藥胎本不損强以藥滋之是助其風行水動之勞其胎必墮若知榮經有風當

以一味治風則經信可止或不服藥胎亦無患馮先師秘授
保胎神效凡內有紅花溲藥亦此旨也若胎本不固因房室
不節先漏而後墜者須作漏胎治千金方治姙娠下血不止
名曰漏胎血盡子死用生地八兩漬酒擣汁服之無時
一姙娠漏胎此由衝任脉虛不能約制手太陽少陰之經血
故也衝任之脉爲經絡之海起於胞中手太陽少陰相爲表
裏上爲乳汁下爲月水有姙之人經水所以斷者壅之以養
胎也衝任氣虛則胞內泄不能制其經血故月事時下名曰

胞漏血盡則斃又有喜怒勞役不節飲食生冷觸冒風寒子臟爲風冷所乘氣血失度使胎不安故亦令下血也丹溪曰胎漏多因於血熱然亦有氣虛血少服凉藥而下血益甚食少倦怠者此脾氣虛不能攝血也當以脉候參之

一姙婦壯實六脉平和飲食如故餘無所苦但經時下者是血氣旺而養胎之餘血也不可強止亦不可使之行但以和血凉血健脾爲主佛手散坤三九加條芩白朮阿膠或八珍湯坤四二加膠艾。一腹痛而下血者爲胎動不痛而下血者爲胎漏如熱者下血必多由熱作渴四物湯坤五二加白朮芩連益母或金匱當歸散日百六八加味養榮湯日九五血黑成片三補丸日百六九加香附白芍血虛來少者古膠艾湯日百七十或合四物湯長胎白朮日百七二氣虛者四君湯坤十加黃芩阿膠因劳役感寒以致氣虛下陷欲墜者芎歸補中湯日百七二或下血如月信以致胞乾母子俱損者用蒸地炒乾姜各二錢爲末米飲調服

尿血

姙娠劳傷經絡熱乘於血血得熱則滲入於脬故令尿血胎

漏自人門下血尿血自尿門下血姙娠尿血屬胎熱者多四物湯加山梔髮灰或阿膠熟地麥門五味之類因暑者益元散日百二二以升麻煎湯下稍虛者膠艾四物湯日百七二久者用龍骨一ソ蒲黃五リ爲末酒調服

子淋

姙娠小便澁少淋瀝名曰子淋由氣血聚養胎元不及敷榮滲道遂使膀胱鬱熱宜歸芍調血人參補氣麥門清肺以滋腎水之源活石通草利小便以清鬱滯名曰安榮散古方丙

有活石石乃鎮重之劑恐致墮胎若臨月極妙如在七八月前宜去此味加石斛山梔尤穩若日久倦怠右脉微弱者此氣虚下陷而時墜下然氣弱膓虚而難流通惟大服人参以運之其便自易胎孕飲食積熱膀胱以致小便閉澁者宜古芎歸湯日百三 加木通麥門人参甘草灯心臨月加活石為君熱甚者五淋散日百七四 因房勞內傷胞門衝任虚者四物湯坤四三合六君湯坤十二 或腎氣凡玄五

轉胞病

乃子胞下壓膀胱以致小便不通胞在上而膀胱在下若以胞與膀胱爲一物誤甚然轉胞與子淋相類小便頻數點滴而痛者爲子淋若頻數出少不痛者爲轉胞間有微痛終與子淋不同其轉胞症候臍下急痛小便不通凡強忍小便或尿急疾走或飽食忍尿或忍尿入房使水氣上逆氣逼於胞故尿戾不得舒張所致非小腸膀胱受病而利藥所能利也法當治其氣則愈若胞落則殂凡婦人稟受弱者憂悶多者性躁急者與食厚味者多有之

古方通用滑利等藥鮮效因思胞不自轉為胎所壓胎若舉起胞繫自疏水道自通矣宜補中益氣湯坤一服後探吐以提其氣則自通通後即用參芪大補恐胎墜也宜四物湯合六君湯去茯苓探吐以提之不可專用滑滲之藥有素壯盛而瘦兩尺脉弱者陰虛也腎氣凡玄五主之甚者冬葵子赤茯苓赤芍等分水煎入髮灰少許熱者古芩朮湯合益元散日百二二

丹溪曰有婦人孕九月轉胞小便不出下急脚腫不堪活診脉右濇左稍和此飽食氣傷胎繫不能自舉下墜壓膀胱

脩在一邊氣急爲其所閉故水竅不能出方用參朮陳皮炙草歸芎半夏生姜補氣養血血氣既旺胎繫自舉頓飲之探喉令吐如是四服小便通下皆黑水復重調補而愈又姙娠七八月小便不通診之脉則細弱此由中氣虛怯不能舉胎胎壓其膀胱下口因不得溺用補中湯加升舉之藥因藥劫至脹痛難忍遂令老婦用香油塗手自產戶托起其胎溺出如注脹痛頓解隨以大劑參芪補之三日後始漸起小便如故

子瘖

經曰婦人重身九月而瘖者胞之絡脉絶也毋治蓋瘖謂有言無聲經曰不能言不能者非絶然不語之謂也古人有分經養胎之說先陰經後陽經始於木終於水如一月肝經養胎二月膽經養胎依次相生至九月腎經十月膀胱經以五行相生數起而推之也然十二經之脉晝夜流行無間無日無時而不共養胎氣也必無分經養胎之理時至九月而瘖此兒體既長胞宮之絡脉係於腎經者阻絶不通故間有之蓋腎經之脉上繫舌本脉道阻絶則不能言故十月分娩後而自能言不必加治倘治之當補心腎如果腎之絡脉絶則其害

不治故豈有産後自復之理乎故經云胞之絡脉絶此絶字當作阻字解也

遺尿

孕婦遺尿者古方用白芍白薇等分爲末每三ㄅ酒調服然亦有虚有熱赤者屬血熱古芩朮湯（百一日六）加山茱五味少許白者屬虚寒安胎飲（模十）或鷄脞散大要遺尿乃胞中有熱或脾肺氣虚而然也

中風

有名子癎妊婦痰涎壅盛忽然僵仆或時發搐不省人事是血虛而陰火上炎鼓動其痰左脉微數右脉滑大者宜四物湯酒芩清熱二陳豁痰理氣機要云風本爲熱熱勝則風動宜靖勝其躁是養血也治法仍以安胎爲主勿過用中風之藥蓋多由血虛則生熱熱盛則生風皆内起之風火養血而風火自滅也若心肝風熱用鈎藤湯目百七六肝脾血虛用加味逍遥散目八一肝脾鬱怒加味歸脾湯目百六二氣逆痰滯宜紫蘇飲良六模脾鬱痰滯用二陳湯目九二加竹瀝姜汁

悖醒悖作有謂之兒暈者甚則角弓反張小續命湯日百七七急

重者黑傘角湯日百十八輕者四物湯加葛根牡丹秦艽細辛防

風竹瀝痰加貝母陳皮茯苓甘草或芎滑散日百十九

傷寒

姙娠傷寒專以清熱安胎爲主外用塗臍護胎之法其或汗

或下各隨表裏所見脉症爲治有表症宜汗者羌活冲和湯

日百七九加柴胡當歸芍藥蘇葉葱白之類若裏熱實症便秘燥

渴者亦用大黃轉藥須酒製用有病者病當之設患眞寒脉

伏厥冷者則用姜桂附子姜桂雖熱用黃連甘草製之則無害矣況應犯而犯似乎無犯若不急爲調治以祛極熱極寒之病則胎爲病所困而難於保全矣奈何去病寒熱之藥人多畏之傷生寒熱之病人反安之何也

瘧病

妊娠寒熱皆因氣血虛損風寒乘之風爲陽邪化氣而爲熱寒爲陰邪化氣而爲寒陰陽併挾寒熱互見經曰陽微惡寒陰弱發熱此皆虛之所致不因暑氣所致宜輕解表邪兼大

補氣血以主之。勿泥寒熱假象也。若寒熱不已。薰蒸其胎。胎必傷矣。

一更有患胎瘧者。一遇有胎瘧病。卽發。此人素有肝火。遇有胎則水養胎元。肝虛血燥。寒熱往來。似瘧非瘧也。以逍遙散清肝火。養肝血。兼六味丸以滋化源。如子瘧熱多。淸脾飲三百日去半夏。寒多人參養胃湯百八十一日去半夏。久不愈者。宜用勝金丹百八十二日以截之。若傷寒瘧痢交作者。宜醒脾飲子。百八十三日

痢疾

飲食生冷脾傷腸痛痢疾乃作至若腹內重墮胎氣不安者此腹重墜下元氣虛而不能升舉真氣下陷也大用補中湯而自安切勿順氣行氣益增墜下之患胎繫於腎如鍾懸於樑棟柱不固鍾必墜下矣況似痢非痢者多中氣虛而不能上升脾氣虛而不能滲濕腎氣虛而不能閉藏慎勿以有形之假滯而傷無形之元氣元氣一傷变症百出胎能保者乎

霍亂

蓋因肥甘過度腐積成痰七情鬱結氣盛爲火停蓄胃中乍

因寒熱之感邪正交爭陰陽相混故令心腹絞痛吐利並作揮霍變亂如邪在上胃脘則當心痛而吐多邪在下胃脘則當臍痛而利多邪在中胃脘則腹中痛而吐利俱多吐多則傷氣利多則傷血血氣受傷不能護養其胎邪氣擊鼓胎元母子未有不損者此危症不可不急治也宜香蘇散目百四三加藿香先服後探吐之

泄瀉

妊娠泄瀉不外脾腎二臟虛者居多夫血統於脾血壅胎元

則脾陰虛而食不運化下焦壅滯而清氣難舒於是水穀難消而泄瀉且胎繫於腎胎藉其氣以擁護而腎氣既弱命門火衰不能上蒸脾土此妊娠泄瀉之由也雖其間不無風寒暑濕之外感飲食生冷之內傷然屬於脾腎兩虧者乃其本也

傷食

多由中氣虛弱不能運化若中氣壯實無是病也然胎元以脾胃爲主脾胃強則胎係如懸鍾而不墜若傷食不化則脾困而胎不能固故凡即消食導滯皆先以補脾健胃爲主而

推揚穀氣則飲食自化若徒事消尅不惟胎元易墮且脾虛而愈虛之化源之機竭矣

吐血

凡七情內傷六淫外感皆足致失血之症而妊娠吐血一生火熱者以氣血壅養胎元或有所感則氣逆而火上乘心煩滿悶血隨而溢也但火略有虛實之分實火當清熱以養血虛火當滋陰以補水如六味二玄歸脾湯五坤十則血可安而胎可固若徒用行血消血之劑胎必墮而禍不旋踵也

胎逆作喘

妊娠氣喘有作感風寒而不得臥者客邪勝也發散自愈參蘇飲二日四主之若脾虛四肢無力肺虛不仁風寒腎虛腰疼氣短不能行步卒然氣喘不息此脾肺素虧母虛子亦虛腎氣不歸源上乘於肺也生脉散七日四補中湯一坤去升柴主之丹溪所謂火動作喘此胎前素多是症

又有毒藥誤服傷胎而作喘往往有之不可不察也有一人妻有懷孩妻嫉妬以毒藥去之胎死病喘不得臥醫診其脉

氣口盛於人迎一倍左關弦動而疾兩尺俱短而離經嚮其毒藥胎死以致奔廹上冲非風寒作喘乃以芎歸湯加催生藥服之果下一死胎而喘止

臟燥悲傷

仲景曰婦人臟燥悲傷欲哭象如神靈所憑數欠伸甘草小麥大棗湯主之蓋姙娠無故悲傷屬肺病臟燥者肺之臟燥也胎前氣血壅養胎元則津液不能充潤肺為之燥故用甘草大棗以補脾

立齋治一姙婦悲哀煩躁其夫詢之云我無故但欲自悲耳用仲景方又用淡竹茹湯日百八五佐以八珍湯坤四二而愈此立齋用八珍湯補養氣血發前人之未發有一婦人自哭自笑者紅棗燒存性米飲調服

腹中兒哭

産寶云腹中臍帶上疙瘩兒含口中因孕婦登高舉臂脫出兒口以此作聲令婦曲腰就地如拾物狀仍入兒口中即止

又法用空房中鼠穴土同川黃連煎濃汁飲之即止

又曰腹中作鐘聲或哭者以多年空房下鼠穴土爲末濟下或噙之卽止

又云腹中兒啼者黃連煎濃汁呷之或青黛亦妙

胎動胎漏宜與前胎漏下血條參看

妊娠胎動不安者由衝任經虛受胎不實者也有飲酒房室過度損動不安有忤觸傷仆而動不安有怒氣傷肝或鬱結不舒觸動血脉不安有過服煖藥并犯禁之藥動而不安有因母病而胎動者但治母病其胎自安有因胎不堅固動及

母病者但當安胎其母自愈若面赤舌青是兒死也面青舌赤是母死也脣口舌面俱青吐沫者是母子俱死然胎動與胎漏皆有下血胎動則腹痛胎漏無腹痛胎動宜調氣胎漏宜清熱然子宮久虛多令墜胎其危同於風燭非正產可比急以杜仲丸預服（日百八六）以保胎元

一有因墜壓以致胎動腹痛砂仁畧炒焦爲末熱酒塩湯艾湯皆可調服腹中覺熱其胎自安惟犯房下血者乃真漏胎也八珍湯（坤四二）加膠艾救之

一安胎黃芩白朮爲妙藥也以條芩爲安胎之聖藥俗人不知以爲寒而不敢用反用温熱之藥以養胎殊不知產前宜清熱令血循經而不妄行故能養胎惟脉沉遲脾虛胃弱者非其所宜

子死腹中

胞衣未下急於胎之未生子死腹中危於胎之未下蓋胞衣未下子與母氣尚通呼吸若子死腹中胞臟氣寒胎血凝泣氣不升降古方多用行血順氣之藥及硝石水銀硇砂之類

但其胎已死則形軀已冷血凝氣聚復以至寒之藥下之不
惟無益而害母命者多矣不知古人立方深於用意葢子死
之故因有二端用藥寒温各存至理有妊娠胎漏血盡子死
者有跌墜顛仆內傷子死者有久病胎痿子死者以附子湯
日百大四進三服使胞臟温煖凝血流動葢附子能破寒氣墜胎
此用温藥之意也有因傷寒熱病温瘧之類胎受邪熱毒氣
內外交攻因致胎死留於胞臟古人深慮胎受毒氣必然脹
大故用硝石水銀硇砂之類不惟使胎不脹又能使胎形化

爛再副以行血順氣之藥死胎即下此古人立方之至意也凡脉三陽俱盛各曰雙軀若少陰微緊者謂督脉血即凝濁經養不周胎即偏夭其一獨死其一獨生用蟹爪以下其死用阿膠以護其生甘草和藥性立方之意深遠矣人之胃氣壯實衝任榮和則胎得其所養如魚處深淵自然和暢若氣血虛弱無以滋養其胎終不能成宜下之以免其禍然胎傷宜下而下法最宜謹慎如胎死腹中必先驗舌青腹冷口穢的確方可用下亦必先固姙婦本源補養血氣而後下之若偶

有不安未能詳審遽用峻厲攻伐安能免不測之禍惟要訣順其自然四字最妙立齋亦云胎果不能安者乃可議下慎之慎之前賢之垂戒深矣若欲下之硝石斷不可少

墮胎

婦人受娠諸經養胎三月屬心五月屬脾七月屬肺臟爲陰陰道易虧故多墮耳又云奇月屬陽火能消物而墮須預於月前調服健脾益氣養榮之藥如三月常墮宜於二月前調補五七亦然日不可間惟一月墮胎人所不知一月屬肝怒則多墮洗下体則竅開亦墮一次旣

墜肝脉受傷下次亦墜今之無子者太半一月墜胎未及不
受胎也故一交之後最宜將息謹慎以防一月墜胎若有連
墜數次胎元損甚宜多服補氣則胎元可復其藥以養榮調
氣補腎益脾如四物湯去川芎生地換熟地加人參陳皮白
朮條芩阿膠續斷杜仲之類氣血不能榮養其胎而自墜譬
如枝枯則菓落藤萎則花墜有因七情太過五火内鬱火能
銷物而墜者有因勞力閃舒占切挫傷動其胎而墜者有因怒
動肝火疏泄用事而墜者有因過於房事盗洩胎元而墜者

然小產重於大產蓋胎臟損傷胞繫腐爛治宜大補榮衛生
肌肉養臟氣畧佐消瘀若素有滑胎之患者宜按症務爲早
治臨期補之不及也如因跌仆所傷須逐污生新爲主佛手
散最妙腹痛加益母草服下痛止則母子俱安若胎已損則
汚物併下再加香附童便製益母草陳皮煎濃汁飲之如從高
墜下腹痛下血煩悶加生地黃芪以安之如因便內腹痛下
血加參朮陳皮茯苓炙草砂仁末以保之如胎下而去血過
多昏悶欲絶脉大無力用濃厚獨參湯沖童便服之小產本

由氣血大虛今當產后益虛其虛矣故較正產尤宜調補也
一觔便方治頻慣墜胎或三四月即墜者於二月前以杜仲
八兩糯米煎湯浸透炒去絲續斷二兩酒浸焙乾爲末山藥
五六兩爲末糊丸梧子大每服五十丸空心米湯下
集成三合保胎方出幼幼集內補丸杜仲丸白朮散三方
熟地　當歸　白朮　條芩
續斷　杜仲各平分　蜜丸早晚服此爲慣墜胎設也
治半產與正產用藥無殊總不外丹溪大補氣血爲主如三

四月前胎未成形而下者名曰墮胎至於五六月後胎已成形而下者名曰半產總屬氣血虛弱以至胎元不固愈遲者而氣血愈虛也故千金保胎凡日百七八一方最妙而趙養葵以六味湯加杜續五味阿膠尤佳誠爲安胎之聖藥也

一治小產宜十倍於正產蓋菓熟自脫順其自然生採之根蒂必裂每見忽畧致死者恒多蓋以因妻而墮故惡血甚少倘有塊痛亦屬血虛氣逆惟宜大爲溫補則新者生而瘀者去若加消瘀破滯則逆氣愈攻而愈升多致不救戒之況有血

虛而腹痛者更有眞陰虧損不能納氣以致疝瘕爲患者先師常以八味丸加牛必五味早晚吞服而安

一麟馬有孕牡者近則踶之名爲護胎所以絶無小產人之胎繫胞中氣血養之靜則神藏慾火一動則精神走洩火擾於中則胎墜矣種玉者可知慾而不知忌乎

一半產者此氣血不續而不能長養胎元然氣血不足之中尚有性稟偏陰偏陽或寒或熱之異自當憑脈而治如陰虛內熱者而用艾附白朮砂仁溫煖之藥則陰道愈虧如草木

之無雨露自然枯萎也如陽虛內寒者而用芩芍凉血之劑則脾胃虛寒氣血益弱猶品彙春夏易生秋冬少結也故辨症合宜雖大寒大熱俱能益人經所謂應犯而犯似乎無犯也

胎不長

乃踰月而始生也或因氣血本虛或因胎漏下血多致踰月不產者曾有十二三月或十七八月或二十餘月而始生者俱是氣血不足胚胎難長故耳凡十月之後未產者當服大補氣血之藥以培養之庶無分娩之患

總錄曰人受氣於有生十二經脈遞相資養凡胎處胞中或有萎燥者由孕婦所稟怯弱不足自周陰陽氣血偏勝非冷卽熱胞胎失於滋養所以萎燥不長故也惟有滋母氣血則胎有自而長矣

鬼胎

人之臟腑調和則氣血充實風邪鬼魅不能干之若榮衛虛損精神衰弱妖魅鬼精得以感之狀如懷胎故曰鬼胎然虞天民曰晝之所思夜爲之所見凡男女性淫而虛者肝腎相火

無時不起故勞怯之人多夢與鬼交所謂鬼胎者僞胎也非寔有鬼神交接成胎也卽經所謂思想無窮所願不遂爲白淫爲白濁流於子宮結爲鬼胎本婦自巳之血液淫精結聚成塊胸腹脹滿儼若胎孕耳非僞胎而何滑伯仁醫驗有楊氏女薄暮遊廟見一黃衣神覺心動是夕夢與交腹漸大如孕伯仁診之曰此鬼胎也女道其故遂與破血墜胎之藥下如蝌蚪魚目者二升許遂安此非遇神交乎曰有是事實無是理豈有土木爲形能與人交而有精成胎乎此非神之感

於女乃女之感于神也

立齋曰鬼胎因七情相干脾肺虧損血氣衰弱失行常道衝任有乖致之乃元氣不足病氣有餘若是經候不調就行調補庶免此症以補元氣爲主佐以行散之藥一婦人經閉八月肚腹漸大面色或青或黃用胎症藥不應診視之面青脈濇寒熱往來肝經血病也面黃腹大少食倦怠脾經血病也此鬱怒傷肝脾之症非胎也用加味歸脾湯加味逍遙散二藥而愈

腸覃似孕

經曰腸覃者寒氣客於腸外與衛氣相搏氣不得榮因有所繫瘕而內著惡氣乃起瘜肉乃生其始生大如雞卵稍以益大如懷子之狀按之則堅推之則移月事以時下此其候也此氣病而血未病故月事不斷木香通氣散日百入入大辛熱之劑主之此氣結大腸爲氣病也

畜血似孕

折肱錄曰子媳申氏多鬱怒每患不月腹漸大以爲娠也十餘月而未產諸症漸見疑之醫者亦疑爲畜血欲下以藥

不勝可用䐜消先用行血調血等藥竟至不起後聞盛啓東治東宮妃始大悔悼原妃張氏經不通者十越月醫以爲胎也脹愈甚上命啓東診視一一如見其方皆破血之劑下血數斗而疾平予媳病正與此合方十月外旣確知非妊當大胆下之惜醫者無胆不亦傷乎此畜血子門爲血病也

胎孕變常記

李時珍曰女子二七天癸至七七天癸絕此其常也有女年十二十三而生子如褚記室所載平江蘇達卿之女年十二

受胎有婦人年五十六十而生子如遼史所載至晉妻年六十生三男一女此又異常之尤者也

臨產條

其治產條於女科前余已纂輯爲坐草良模集凡產家病機方藥毫釐纖悉無所不備以爲緊急之資仍爲别集尚剔考醫

產後條

審機

凡產畢宜飲熱童便一盞不得便臥宜閉目而坐須臾[illegible]床

宜仰坐不宜側坐宜豎膝不宜伸足高倚床頭厚鋪裀褥遮圍四壁使無孔隙免致賊風時以人手從心括至臍下如此三日又不可大睡熟宜頻喚醒時置醋炭或燒乾漆與茄漆器以防血暈血逆夏日房中不可太熱亦不可人多氣盛以致熱則氣耗而不能送血又不可太飽惟頻食白米薄粥飲之日漸加之愼言語戒七情勿勤梳頭洗足勿針線劳役以百日爲度如氣血弱者不計日月否則患手足腰脚疼痛等症名曰蓐劳最難治療最忌大喜大怒喜則氣散或生紅汗怒則氣逆或生

癯瘦不可獨宿恐致虛驚不可刮舌恐傷心氣不可刷齒恐致血逆須氣血平復方可治事犯時徽若秋毫成病重如山岳慎之

一乳乃血氣所成産後不可食壚壚能止血令無乳汁且發嗽難治又更忌貪凉用扇及食冷物切不可當風睡卧産后滿百日方可交合不爾致死大槩虛羸百疾多從此而得凡婦人患風氣臍下虛冷莫不由早行房也

一新産之後雖無疾病宜將息勞動調理脾胃進以美味飲

食則臟腑易於平復血氣自然調和百疾不生但中氣方虛難於運化勿得過多反傷脾胃

別症

凡產后危症莫如三冲三急三冲者敗血冲心冲肺冲胃也三急者新產之嘔吐泄瀉多汗也宜詳考在雜症條下產后諸症其原有三蓋氣屬陽血屬陰陽虛生外寒陰虛生內熱產后去血過多血虛火動而爲煩燥發熱之類一也血猶水也水性就下然搏而躍之可使在山勢使之然也產后虛火上載敗血

妄行而爲頭暈腹痛之類二也少火生氣壯火蝕氣火爲元氣之賊勢不可兩立一勝則一負産后元氣大傷脾胃虚弱且土位無母難可蒸腐五穀若飲食過傷則爲痞滿吐瀉之類三也

○虚實

凡臨産則勞神用力驚心去血此氣血俱傷之候医之安得不從虚治方書云産后以補虚爲要乃成法也然亦有強壯婦人臨産甚易飲食進惡露行毫無所苦如此之流不可妄用藥餌縱有外邪亦從實治蓋養胎之血勢所當去勿以去

血槩指爲虛而誤補益疾矣

吉凶

脉經曰胎前之疾其脉貴實産後之病其脉貴虛蓋産后則氣血兩虛脉宜緩滑緩則舒徐不因氣奪而急促滑則流利不因血去而枯濇俱爲吉兆若實大弦牢非産后氣血兩虛者所宜實爲邪實大爲邪進弦爲陰歛宣布不能牢爲堅著近乎無胃皆相逆之脉也叔和曰産后寸口洪疾不調者死沉微附骨不絕者生又曰沉小滑者生實大堅弦急者死面

青潰汗厥逆發喘發痙身凉煩燥譫妄神昏皆爲逆症

治法

凡産後以醋塗鼻或用醋炭更燒漆器輕輕以手從心按摩至臍則惡露盡下以杜血暈血逆如此三日不問腹痛不痛以童便和酒温服五七次此壯實之用也葢酒雖行血能下惡露能行乳汁然臟氣方虚不可多飲并不可産畢即飲恐血引入四肢能令血暈如胃氣弱者裏無火者童便亦宜禁之恐傷胃氣惟頻食白米薄粥漸進羊肉猪蹄少許

丹溪曰凡產後氣血虛極之際調治一切諸症要以大補氣血爲主雖有雜症以末治之如血虛火動則補之敗血妄行則散之飲食過傷則助脾胃以消之產后諸症不可槩服補藥恐有瘀血凝滯也非行血則邪不去卽諸虛症亦須行血其氣乃復但行之有方不可過峻若虛脫者不可泥此

一產后諸症古方多用四物湯加減而丹溪獨謂芍藥酸寒伐生發之氣禁而不用蓋新產之婦氣血俱虛但存秋冬肅殺之氣而無春夏生長之機故最忌寒凉大宜溫熱之藥以

助資始資生之源也先哲製四物湯以芎歸之辛溫佐以地
芍之寒凉寒溫適中以爲女科諸疾之妙劑若用於産后必
取白芍以酒重復製炒去其酸寒之性但存生血活血之能
或再加黑姜則何不可用且芍藥性清微酸而收最宜於陰
氣散失之症豈不爲産后之要藥先賢尚諄諄告戒況寒凉
峻削者乎但知芍藥酸寒而不究生地更凉且直走血分爲
害尤甚必不得已當以熟地代之若槩以四物治産后者誤人多矣
一産后以去敗血爲先血滯不快乃成諸疾夫産后元氣旣虧

運行失度不免瘀血停留治者必先逐瘀瘀消方可行補此第一義也但虛極不能姑待者則於峻補之中加入溫行之藥峻補則力大而可宣通溫行則流暢而不凝滯即實症逐瘀亦不可用峻厲之藥產后元氣大虛恐血無主宰一任藥力便爲崩行不止虛則易脫猶覆水難收矣故莫若生化湯（良模入四）行中有補補中有行溫則不滯無傷胃氣爲主當矣

一產后元氣大脫新血未生凡有頭疼發熱惡心飽悶諸症皆是虛中變現之假象槩以大補氣血爲主如惡露未盡補

藥中凡行血之品如感月停滯亦須補藥中兼加發散消導勿得泛用峻厲有傷氣血因疑似之外邪傷真切之元氣豈不謬甚哉

其用藥者有三禁者佛手散坤三丸·以川芎辛散能發汗走泄也四物湯以生地寒冷能作瀉而滯血也芍藥酸寒伐生氣也小柴胡以黃芩性凉能阻惡露也此用方之三禁更有三禁不可汗不可下不可利小便弁勿犯胃及上下二焦雖有雜症以末治之大補氣血爲主

處方

四物湯坤三一生地性京而滯大傷脾胃芍藥味酸而寒易伐生氣產后常多悞人生化湯除此二味加以温中行血之品如產后兒枕作痛世多用消塊破血之劑然後議補又有消與補混施不知舊血雖當消化新血亦當生養若專攻舊血則新血轉傷世以廻生丹艮模八三破血塊下胞衣其元氣甚多傷損生化湯艮模八四因藥性功用而立名也專消則新血不生專生則舊血反滯芎歸桃仁三味善去舊血驟生新血佐以炭

姜炙草引三味入於肺肝生血和氣行中有補且得煖則血自流通惡露自盡故無後患實産後之聖藥先師馮氏因其方加入參桂牛必紅花更爲産前催生之聖藥

用藥

補虛人參黃芪白朮熟地白芍當歸茯苓鹿茸麋茸羊肉炙草大棗龍眼

溫散官桂桂心大附乾姜陳皮

逐瘀紅花桃仁川芎蘇木玄胡五靈脂蒲黃

破塊牡丹三稜莪朮乾漆血竭

○產后雜症條

血暈

產后昏冒瞑目因陰血暴亡心神失養心與胞絡君相二火得血則安亡血則危火上熾故令人昏冒火乘肺故瞑目不省人事是陰血暴亡不能鎮撫也經云病氣不足宜補不宜瀉瞑目合眼病悉屬陰暴去有形之血則火上熾但補其血則神自安心得血則能養而神不昏迷矣然甚者更當以補

氣藥兼之恐勢急而補陰不及且氣能生血也下血多而暈
名曰血脫當大服人參可以回陽若下血少而暈非血滯或
屬血竭滯者溫而行之竭者濁而補之切勿以破血行血妄
投也
一産后血暈宜輕輕扶坐燒炭沃醋或燒舊漆器令煙入口
鼻即㩳急搯人中靖以待之元氣漸復不可亂動蓋令神氣
散亂也
爲先師曰産后血暈者由産前素虛産時亡血過多以致𢈔

火泛上身無所主以致昏暈凡大病太虛之症皆有之名爲
血暈實非因血而致暈也方書盡曰敗血流入肝經眼生黑
花頭目旋暈不能起坐昏悶不省人事謂之血暈此血熱乘
虛逆上湊心故昏迷不省氣閉欲絕也服童便最好此論但
照胷敗血至無照胷大虛但云氣閉欲絕服童便豈童便可
挽回元氣欲絕乎一方用當歸二益母草一人參二紅花八分
黑姜八分煎冲熱童便服此方兼得之矣先師每遇產婦向有
血暈之症者於將產數日預服十至坤四二歸脾坤十五養榮坤五二

調補氣血臨産人參二三戔煎服補於未産未虛之先産后無虛可乘無暈可發也如去血過多眼花頭眩昏悶煩燥或見頭汗古芎歸湯日百三入童便甚者加人參黑姜汗多加黃芪或八味黑神散艮模大六單五靈脂散返魂丹艮模十八氣虛而暈者用人參一戔蘇木五分水煎入童便服

惡露不下

由産後臟腑勞傷氣血虛損或胞絡挾於宿冷或當風取凉風冷乘虛而搏於血壅滯不宣畜積在内故不下也宜溫煖

活血則血自行更有臟燥血枯不能流瘀宜滯者惟宜溫補氣血自通不可攻之反增別病

惡露不絕

產後惡露不絕者由產時傷其經血虛損不足不能收攝或惡血不盡則好血難安或陰虛內熱熱搏血分或挾於宿冷致氣血不調並宜脉候參詳虛極者但宜溫補生新而瘀自化虛不甚者則爲去瘀生新可也

一產后惡露不絕若肝氣熱不能生血六味丸若肝氣虛不

能藏血逍遥散(日十二)若脾氣虚不能攝血六君子湯(坤十三)胃氣下陷不能統血補中湯(坤一)若脾經鬱熱血不歸源加味歸脾湯(七二)若肝經怒火榮血妄行加味四物湯(日二百三三)若氣血兩虚十全大補湯(坤四二)若肝經風邪其血沸騰加味防風湯(日百八九)若遲鬱怒氣有傷衝任血久不止六味地黄湯(玄二)加阿膠麥門五味

頭痛

頭者諸陽之會也產后五臟皆虚胃氣虧弱飲食不克而虚陽失守上湊於頭陽實陰虚則令頭痛間有敗血頭痛者繼

濁氣在上也雖有身熱惡寒之候只宜生化湯加減愼不可用姜獨等藥蓋此由眞陽虧損濁陰得以犯上陷入髓海爲脹爲疼是非清陽升復則濁陰不降在裏內起之邪爲病非若外入之邪可表而愈也

心痛

凡產后心痛爲陰血虧損隨火上冲心絡名曰心胞絡痛宜歸脾湯坤十五主之若寒傷心經名曰眞心痛則無藥可救矣凡產后寒氣上則心痛下攻則腹痛兼血塊者宜服生化湯艮擬八四

加桂若獨用熱藥攻寒其痛雖止而血妄行反虛產母況寒者必挾虛而燥熱者必佐陰藥方可能制其僭越之患如瘀血心痛八味黑神散（良模六六）四味散（日百九十）失笑散（日百一）有寒熱者當歸鬚（日百九一）虛寒心痛者桂心湯（日百九二）感寒者理中湯（日學）

腹痛

產后惡血或因外感六淫內傷七氣致令斬然而止瘀血雖滯所下不盡故令腹痛當審所因而治之如產婦數朝內或飲食如常忽作腹痛六脉沉伏四肢厥冷此惡血不盡傷食

裏血而脈不起也不可誤認爲氣血兩虛而用大補須兼當
導行血之藥
要畧曰產後腹中㽲痛（音朽）（綿又痛也不急也）當歸生姜羊肉湯屬客寒
相阻故以當歸通血分之滯生姜行氣分之寒君以羊肉者
所謂形不足補之以味況羊肉又能補氣㽲痛屬氣弱故宜
之也
寇氏曰婦人產當寒月寒氣入產門臍下脹滿手不得犯此
寒疝也宜仲景羊肉湯（日百九三）或產後臍腹忽痛乃呼吸之間

冷氣乘虛而入宜當歸建中湯日百九四四順理中丸日百九五産後
腹痛惡露旣去而仍痛四神散日百九六調補之不應八珍湯坤三四
若痛而惡心或欲作嘔六君子湯坤十若痛而泄瀉六君子
湯送四神丸日百九七若胸膈飽悶或惡食呑酸或腹痛手不可
按此是飲食所傷用二陳加白朮山査以消導之若食旣消
而仍痛按之不痛更加頭痛煩熱作渴惡寒欲嘔等症此是
中氣被傷宜溫補脾胃爲主若發熱腹痛按之痛甚不惡食
呑酸此是瘀血停滯失笑散消之若止發熱頭痛腹痛按之

却不痛此是血虛用四物湯坤二加炮姜參朮以補之

一食滯寒熱心腹痛者煮料五積散日百九八加莪朮若小腹痛者名兒枕痛單五靈脂散或加桃仁醋糊爲丸氣虛四君湯下坤十血虛四物湯下坤二

小腹痛

多由惡露凝結或外寒搏之久而不散必成血瘕月水不調然有腎陰腎陽不足者並宜按脉別治

一兒枕痛者兒在胎中宿有血塊產時其血破敗與兒俱下

則無是患矣若產婦臟腑風冷則血凝小腹結聚疼痛名兒枕痛宜芎歸益母山查香附陳皮煎服甚者加醋炒五靈脂或六味加益母草炒黑乾姜煎服尤佳㐫兒在胎食母之血十月滿足餘血成塊俗呼爲兒枕有產時血塊先動敗血裹其子則令難產也

一有產婦小腹作痛服行氣破血之藥不效其脉洪數此瘀血內潰而爲膿矣是因營衛不調瘀血停滯宜急治之緩則腐化爲膿最難療治若流注關節則患骨疽失治多爲敗症

脉數而洪已有膿遲緊乃瘀血也下之則愈若腹脹大轉側作水聲或膿從臍出或從大便出宜蠟礬丸日百九九 太乙膏日三百下濃而愈

一臍下虛痛者大溫經湯日百四 羊肉湯日百七大 通用女金丹日三百

加味益母丸日二百

腰痛

產后惡露方行忽斷絕不來腰中重痛下注兩股痛如錐刺入骨此血滯經絡不即通之必作癰疽宜桃仁湯日二百二 五香

連翹湯 日二百四

一産后腰痛者腎爲胞胎所繫産則勞傷腎氣損動胞絡虛未平復風冷客之冷氣乘腰故令腰痛若寒冷邪氣連滯背脊痛久未已後忽有娠必至損動蓋胞絡屬腎腎主腰故也

脇痛

若肝經血瘀玄胡索散 日二百五 若肝經氣虛四君湯 坤十 加柴胡若肝經血虛四物湯 坤二 加參朮柴胡若腎水不足不能生肝六味丸 玄二 若肺金勢盛尅制肝木瀉白散 日二百六 然若不用

姜桂辛温助脾肺以行藥力不惟無以施功反助其脹矣

積聚癥瘕

多屬氣血爲風冷所搏而成積者陰氣也五臟所生聚者陽氣也六腑所成陰性沉伏故痛不離其部陽性浮動故痛無常處瘕者假也謂其痛浮假成形無定處也癥者有徵驗也因傷食得之積聚成塊按之應手不能動揺也皆由産后氣血虚弱風冷所乘搏於臟腑與氣血相結而成也若不急治則多積結妨害月水

有產婦腹中一物時痛不已以爲血瘕用行血破氣之劑兩脇肚腹尤甚肢節間各結小核隱於肉裏以爲鱉子治亦不效殊不知肝藏血而養諸筋何處之骨不屬于腎何處之筋不屬于肝此肝血虛損筋涸而攣結耳養其脾土補水以滋肝血則筋自舒八珍湯（坤四一）逍遙散（日十三）歸脾湯（坤五十）加減治之甚者溫補腎元則眞陽得而氣行乃健何有假物成形之患眞陰得而血分不枯自無筋攣脇痛之虞矣

嘔吐

產后嘔吐因飲食過多者六君子湯坤十二加查曲兼勞役者補中湯坤二飲食停滯者人參養胃湯日百七九脾胃氣虛者六君子湯胃氣虛寒者加炮姜煨木香寒水侮土者益黄散日五五肝木侮土者六君子湯加升柴命門火衰不能生土者八味丸玄一嘔吐泄瀉手足俱冷肚腹作痛者乃陽氣虛寒也急用附子理中湯日四二

泄瀉

若食肉太早痛滯者熹料五積散日百九八嘔加砂仁瀉加姜附

人參泄瀉不止臍腹痛者理中丸日二百七加肉豆蔻若挾寒腹痛腸鳴便清不渴者四君湯合五靈散百卒加肉豆蔻炒白芍挾熱腸垢便澁痛一陣瀉一陣口渴者四君子湯坤十合四苓散日二七加酒炒黃連及木通少許或益元散日五五霍乱吐瀉煩渴肢冷者理中湯日四十加陳皮麥門姜煎厥冷者加附子瀉者五靈散日三丸二轉觔者加木瓜

痢疾

多由產后腸胃虛怯寒邪易侵故腹痛如刺水穀不化洞瀉

腸鳴或下赤白懸服調理中湯丸日五立愈若非外因所傷乃屬腎氣虛損陽虛不能生土陰虛不能閉藏耳必用四神丸日九五八味丸以補腎倘誤投分利導水之劑是益虛其虛也

呃逆

產后呃逆屬脾虛聚冷胃中伏寒也夫肺主氣五臟六腑皆稟之產后氣血並傷臟腑皆損風冷搏於氣則逆上又脾虛聚冷胃中伏寒因食熱物冷熱之氣相爲冲擊使氣厥不順則爲呃逆脾主中焦爲三焦之關五臟之倉廩若陰陽氣虛

使榮衛之氣厥逆致生斯病經云呃噫者胃寒所生然亦有中氣大虛下焦陰火上冲而致者當用桂附乾姜之類

氣喘

產后氣急喘促者因產所下過多榮血暴竭衛氣無主不能百達運行獨聚肺中故令喘也此名孤陽絕陰爲難治惟大進參附（目五）或可得生

產后發喘氣促此第一危症也若作痰火實症治之必死當以人參生化湯（目二百七）加减人疑參能助喘不用致不救者多

矣況用芎歸黑姜萬無有失要知人生於氣氣壯則根本堅而藏源者斂納於下運行者彊健於中何有爲喘爲脹之虞只有虛弱而致死者未有強壯而成病也有用人參加陳皮監制則盜洩元氣反致耗散只可消導藥中兼之單人參湯或加蘇木少許救之若敗血停留肺脹喘者用血竭陳皮沒藥等分爲末酒入水調服兼用奪命丹艮模六三

浮腫

產后四肢浮腫由敗血乘虛停積而循經流入四肢留滛日

深腐壞如水故令面黃四肢浮腫醫人不識便作水氣治之多用導水丸日二百九丸治水藥極能虛人産后既虛藥又虛之是謂重虛多致夭枉服小調經散日九七血行腫消即愈若寒水侮土宜養脾肺若氣虛浮腫宜益脾胃若水氣浮腫宜補中湯坤一若兼喘咳而脉沉細無力此命門火衰脾土虛寒也宜八味丸玄一主之腹滿者氣虛而非血也補中湯送八味丸一以升補清陽一以歛納濁氣升降既得而脹滿自消矣氣虛者四君湯加蒼朮或女金丹日二百九血虛者補虛湯日二百十少

加白朮茯苓使水自利忌峻劑攻利

手足身痛

産后身痛者是血虛而不能榮也手足走痛者是氣血不能榮養四末而濁氣流於四肢則腫陰火游行於四旁則痛也不出養榮湯坤二五加黑姜主之

發熱

産后傷寒不可輕易發汗産時有傷力發熱有去血過多有惡露不去有三日蒸乳有早起勞動有飲食停滯皆為發熱

狀類傷寒要在仔細詳辨切不可猛浪發汗猶覆水難收也
蓋產后大血空虛汗之重則亡陽輕則筋惕肉瞤音純或鬱冒
昏迷或搐搦便秘變症百出凡有發熱多因血虛陽無所依
浮散於外而爲熱也宜與四物爲君去川芎生地換熟地加
軟苗柴胡人參炮姜最效蓋炮姜辛熱而兼苦鹹以火而治
火收其浮熱且能引血藥入血分氣藥入氣分更能去惡生
新有陽生陰長之道以熱治熱深合內經之旨正氣得力外
邪自散矣

養葵曰如胎前原有陰虛火動症產后去血過多必大發熱煩燥汗出等症若依前法大補氣血其症必甚當用逍遙散乾十一清肝火養肝血因去血過多汗虛血燥之故不可泥於氣血兩虛此以陰虛發熱立論當以脉候參詳

立齋曰新產婦人陰血暴亡陽無所附而外熱也宜四物湯坤二加炮姜補陰以配陽若誤服寒凉尅削之劑而外熱者此為寒氣格陽于外也宜四君湯坤十加姜桂不應急加附子若肌膚發熱面赤大渴引飲者此血脫發燥當歸補血湯乾二百又

曰產后虛煩發熱乃陽隨陰散氣血俱虛故惡寒發熱若誤作火症投以凉劑禍在反掌產後外感寒熱頭疼血虛者古芎歸湯曰百二加人參紫蘇氣血俱虛者用補虛湯曰二百加陳皮乾姜熱甚者熹料五積散曰八九不能止黃龍湯曰二百十二

傷食發熱

節齋曰產後脾胃大虛多有飲食傷滯發熱勿誤作血虛而治須問若何飲食有無傷積飽悶惡食泄瀉等症只作傷食治之若發熱而飲食調者方用補血正治

立齋曰前症胸膈飽悶噯腐惡食吞酸吐瀉發熱此爲飲食停滯宜四君湯坤十加厚朴查曲若胸膈悶滿食少發熱或食難消化此脾胃虛弱宜四君湯加炮姜若用峻厲之劑復傷元氣則誤矣

虛汗

產后亡血多汗陰陽兩虛極危症也經曰陽氣者精則養神柔則養筋產後既亡血而反多汗乃爲亡陽蓋汗本血液屬陰陰亡陽亦隨之而走故曰亡陽其用藥與他症不同輕則

參芪白朮麻黃根防風桂枝重則參附日五

產后發熱自汗古歸芪湯日二百十三汗甚加白朮防風牡礪麥門熟地茯苓甘草或黃芪建中湯日百三八自汗兼腫滿者大溫經散自汗肢體疼痛者當歸羊肉湯發汗盜汗者用猪腰子一个糯米半合葱白二莖煨熟取清汁一盞入人參當歸各一錢煎服

頭汗鬱冒

產婦鬱冒其脉微弱但頭汗出所以然者血虛而厥厥而必

胃胃家欲解必大汗出以血虛下厥孤陽上出故頭汗出所以產婦喜汗出者亡陰血虛陽氣獨盛故當汗出陰陽乃復然產婦鬱胃虛多邪少故脉微弱中氣虛也一身之陰陽不和故身無汗但頭汗出者何也血虛下厥則下之陰氣盡而陽爲孤陽則上出而頭汗仍喜其汗出而解者何產婦血去過多而亡陰自陰較之陽爲獨盛所以喜其汗損陽就陰則陰陽平故曰乃復

中風

產后中風由產時傷動血氣劳損臟腑未曾平復早見劳動致氣虛而風邪乘之冷氣客於皮膚經絡疼痺羸乏不任少氣凡筋脉挾寒則攣急喎僻挾濕則縱緩虛弱若入諸臟恍惚驚悸隨其所傷經絡臟腑而生病焉然大全曰婦人以榮血爲主因產血下太多氣無所主唇青肉冷汗出目眩神昏命在須臾此虛極生風也若以風藥治之則誤矣不問何候大與溫補十全大補湯坤四二加附子令人推正其身一人夾正其面穵烏入切穹入声開口灌之如不得下令側其面出之仍灌熱

治又冷又灌藥次即能下少頃甦此立齊法也

產后中風名曰蓐勞口噤牙關緊急手足瘈瘲及強直築心眼倒吐瀉欲死者單荊芥散 日二百十六 古荊歸湯 日二百十七

痓病

產後血虛角弓反張病名曰痓痓者勁也陰氣暴虛陰虛內熱熱極生風故外現如風假症實陰血不足無以養筋所致緣陰大虛之候宜益陰補血血長而虛風自滅矣產后汗多風搏成痓者難治

口噤

産後中風口噤是氣血虛而風入頷頰口之筋也手三陽之筋絡於頷産則勞損臟腑傷於筋脉風乘之則三陽之筋脉偏虛得風冷則急故令口噤更有心氣虛極不能爲語而口噤者惟以峻補之中兼以通調心氣之藥

角弓反張

産後角弓反張者因氣血耗損腠理不密汗出過多神無所主筋骨失養而有此虛象也乃氣血虛極宜大劑參桂芪朮

歸地溫養之不應再加附子倍人參名參附湯如猶未愈乃藥力未到宜多用之

瘛瘲

瘛者筋脉拘急也瘲者筋脉弛縱也經曰肝主筋藏血肝氣爲陽爲火肝血爲陰爲水去血過多陽火熾盛筋無所養而然用八珍湯（四君四物）加丹皮鈎藤以生陰血不應用四君加丹皮芎歸鈎藤以補脾土益血生於至陰至陰者脾土也且氣有生血之功耳故小兒吐瀉之後脾胃虧損亦多患之乃虛象也若肢體

惡寒脉微細者此爲眞狀若脉浮大發熱煩渴此爲假象惟當固本爲善若無力抽搐戴眼反折汗出如珠者不治

驚悸

産后驚悸者由産後臟虛心氣不足陰虛邪熱乘心以致驚不自安悸動不定目睛不轉而不能動診其脉動而弱者驚悸也惟宜養血佐以安神血生則神有所依矣

發狂

産后發狂者此陰血暴崩肝虛火炎之極也宜澤蘭牛膝鱉

地茯神遠志棗仁加童便服之若因敗血停滯用調經散如
若因心血虛損用栢子仁散十日三百若因腎虛陰火上延而爲
如狂者八味湯一玄加減服之要知産后大虛而繼生諸病則
當以虛爲本而以病爲標也

口鼻黑衄

書以産后口鼻黑氣及見鼻衄爲不可治者何也葢五臟之
精華皆上注於面凡色紅赤者陽熱之生氣也青黑者陰寒
之絶氣也况口鼻屬陽明多血多氣之部而見陰寒慘殺之

氣則胃中陽和之氣衰敗可知矣復至鼻衄則陽亡陰走矣
胃絶肺敗陰陽兩亡故不可治及產后舌紫黑者爲血先死
不治蓋心主血少陰氣絶則血不上蔭耳

咳嗽

產后咳嗽者悉屬胃氣不足胃爲五臟之本胃氣一虚五臟
失所百病生焉雖謂肺主皮毛腠理不密所致不知肺屬辛
金生於己土亦因土虚不能生金所以腠理不密外邪易感
其陰火上炎者宜補脾土以生金滋腎水以制火前論肺病

而責及胃者以土不能生金也何獨不思子能令母虛而責及腎乎腎主納氣咳嗽者氣不能納雖肺病而實腎病也

瘧疾

産后半月内外寒熱往來或日晡夜間發熱或一日二三度其發有期其症類瘧由氣血虛竭陽虛作寒陰虛發熱也勿以瘧症治柴胡湯不可輕用惟調補氣血寒熱自除斂陽納藏浮越自已

蓐勞

産后蓐劳由生産日淺氣血虚弱將養失所致使虚乏劳倦乍卧乍起容貌憔悴飲食不甘咳嗽口淡頭昏目眩百節疼痛時有盗汗寒熱如瘧四肢不舉沉重著床此皆蓐劳之候也毋論日期必須調養平復方可動作否則氣血復傷終成劳瘵其治當補脾爲主佐以調和氣血蓋飲食一進精氣化生諸臟有所賴矣

産后蓐劳宜十全大補湯坤四二去芎加續斷鱉甲桑寄生桃仁
猪腎一副去脂膜姜一片棗三枚水二盞煎至一盞

前末藥二ㄌ烏梅半个荊芥五穗同水煎空心服自痛寒熱
者當歸羊肉湯日二百十四腰子湯日二百十八

血崩

產后血崩者因所下過多氣血大虛未得平復或因勞役或
因驚恐而致也宜補心脾以統之若小腹滿痛不已而脉實
太緊數者此肝陰已竭肝氣隨敗矣難治若小腹脹滿按之
而痛者此內有瘀血未可遽止否則必致淋瀝

便難

產後便難者由腸胃無血也大腸爲傳道之官變化出焉產后津液耗損胃中枯燥而精微不及下輸是以糟粕壅滯故令便難由下血過多內亡津液也然大腸主津小腸主液其大腸小腸更必受胃之陽氣乃能行津液於上焦今產后大虛胃中元氣已虧二腸津液並損故便難者此其宜也雖宜調中養血切不可單用麻仁枳殼徒耗腸胃中生養之氣也

淋症

產后小便淋秘之症三因云產前當安胎產后當去血此二

謂最爲喫緊如產前淋或由氣虛不化當用參芪補氣安胎不可過用滲利產後淋或由汚血阻滯當以瞿麥蒲黃爲要藥若血虛熱鬱當用六味丸玄二逍遙散日十一補陰養血滋其化源佐以導血藥可也更有妝生不謹以致損胞而得淋瀝者丹溪曰有徐氏婦壯年患此因思肌肉破傷在外者且可補完雖在內恐亦可治診其脉虛甚因悟凡難產之人多是氣虛既產之後氣血尤虛應用峻補以參朮膏日二百九十煎以猪羊脆湯日二百二十極饑時飲之一月而安令血氣驟長其胞可完稍

緩亦難成功矣

○二便不通

產后二便不通者因腸胃本挾熱產后水血俱下津液耗竭腸胃枯澁熱氣燥結故令不通也有產婦患此飲人乳牛乳而通故莫若補腎蓋腎主五液腎主二陰也

小便不禁

產后遺尿者腎氣不固也五味子丸（日三百二一）主之若脾胃虛弱以補中湯（掛一）送還少丹脾腎虛寒用八味丸（玄一）四神丸日百佐之九七

大小便出血

産后小便出血者因氣血虛而熱乘之血得熱則流滲胞內故血隨小便而出也有産婦尿血面黃脇脹少食者此肝木乘脾土也用加味逍遥散合補中湯卅一兼服而愈産后大便出血者或飲食起居失節或六淫七情過極致元氣虛損陰絡受傷也若因膏粱積熱醇酒濕毒宜清之怒動肝火鬱結傷脾思慮傷心宜和肝而調心脾大腸風熱血熱宜凉血去風腸胃虛弱元氣下陷宜大補而兼升提況産后氣血大虛之後復犯絡傷失血之患可不急固脾元中氣以爲攝血統

血之用哉

癰疽

産后半月左右忽發癰腫於四肢胸腹者是敗血不盡流滯經絡或氣血虛弱榮氣不從逆於肉理也如敗血瘀滯者則掀腫赤痛而脉弦洪有力當於補血行血之中佐以導瘀疎氣爲主如氣血虛弱榮溢衛逆者則平塌散漫而脉虛微無力當大補氣血爲主如十全坤四二八珍坤四三之屬以固本原扶胃氣氣壯血和其毒自解若以毒治而用清涼解毒勢必不膿

不濟變成壞症矣

月水不通

産后月水不通者不必藥也婦人衝任之脈爲經絡之海皆起胞內手太陽少陰二經上爲乳汁下爲月水若産後去血過多乳汁常有不通若乳婦半歲一歲之內月水不行此常候也若半歲左右便行是少壯血盛之人也若産後一二年經水不通無他疾苦亦不必服通經之藥蓋此或勞傷榮衛衝任脈虛氣血衰少矣但服健脾胃及滋補氣血之藥自然

通行若強通之是猶揠苗也

乳汁不行乳汁自出

產婦衝任血旺脾胃氣壯飲食調勻則乳足而濃以生化之源旺也脾胃氣弱飲食少進衝任素虧則乳少而薄所乳之子亦怯弱而多病若乳汁不行有二有氣血盛而壅閉不行有氣血虛而燥澁不行虛者補之如十全八珍之類是也盛者疏之如麥冬瓜蔞仁天花粉人參葵子猪蹄木通漏蘆猪蹄之類煨食是也其有乳汁自出者若胃氣虛而不能斂攝

津液者宜補胃氣以歛之若氣血大虛氣不衛外血不榮裏而爲妄泄者宜調補荣衛以止之若未産而乳汁自出謂之乳泣生子多不育若産婦劳役乳汁湧下此陽氣虚而厥也獨參湯主之

陰脫

産后陰脫者多由婦人生産用力太過致陰下脫及陰下挺逼迫腫痛舉重房劳皆能發作清水續續小便淋瀝宜内服升補外以硫黄烏賊骨五味子爲末摻之

玉門不閉

産門不閉由元氣素弱胎前失於調養以致血氣不能收接故也十全大補湯坤四二有初産陰戸腫脹或焮痛不閉肝經虛熱也加味逍遥散日八一若腫不閉者補中湯坤一加五味子雖甚腫熱切忌寒凉産后諸症總以氣血大虛爲主况陰挺下脫玉門不閉皆由氣虛血脫也丹溪立齊医案見症種種而治療無非参芪歸地加以升提收濇耳更有子宮腫大二日方入損落一片如猪肝面色痿黄潮熱自汗懶食困倦用十全

大補湯卌二四三十劑而愈

乳疽

審機

婦人之乳男子之腎皆性命之根也人之氣血周行無間寅時始於手太陰肺經出於雲門穴穴在乳上丑時歸於足厥陰肝經入於期門穴穴在乳下出於上入於下肺領氣肝藏血乳正居於其間也其足陽明之脈自缺盆下於乳又衝脈者起於氣街並足陽明夾臍上行至胸中而散故乳房屬足

陽明胃經乳頭屬足厥陰肝經婦人不知調養有傷衝任且忿怒所逆鬱悶所過厚味所釀以致厥陰之氣不行陽明之血熱甚或爲風邪所客則氣壅不散結聚乳間而爲癰也

別症

或硬或腫疼痛有核乳汁不出名曰妒乳漸至皮膚掀腫寒熱往來名曰乳癰風多則硬腫色白熱多則掀腫色赤乳癰者俗呼曰吹乳吹者風也風熱結泊於乳房之間血脈凝注久而不散潰腐爲膿凡忽然壅腫結核赤色數日之外焮痛

脹潰稠濃湧出此屬胆胃熱毒氣血壅滞名曰乳癰有因婦人所乳之子膈有滞痰口氣掀熱含乳而眠熱氣吹入乳房凝滞不散遂生結核亦云吹乳若初起時忍痛揉軟吮去乳汁即可消散失此不治必成癰腫亦有因小兒斷乳後不能吮化或婦人乳多要兒少飲積滞凝結又或經候不調逆行失道又有邪氣內鬱結成癰腫

一婦人有憂怒鬱抑朝夕積累脾氣消沮肝氣橫逆氣血虧損筋失榮養鬱滞與痰結成隱核不赤不痛積之漸大數年

（此頁據中國國家圖書館藏本配補）

而發內潰深爛各曰乳巖以瘡形如巖穴也

治法

凡乳癰初發不治則血不流通氣為壅滯而與乳內津液相搏腐化為膿治之之法凡初起發熱疼痛即發表散邪疏肝清胃速下乳汁導其壅滯則病可愈若不散而不易成膿宜用托裏若潰後膿肉不生膿水清稀宜補脾胃若膿出反痛惡寒發熱宜調榮衛若晡熱掀腫作痛宜補陰血若食少作嘔宜補胃氣切戒清涼解毒毋反傷脾胃也

一乳癰爲易治治法青皮疎厥陰之滯石羔清陽明之熱生草節解毒而行汚濁之血荊防散風而兼助藥蓮萎瓜蔞浚藥橘葉角刺金銀貝母當歸及酒佐之無非疎肝和血解毒而已加艾隔蒜灸二三十壯於痛處最效切忌刀針傷筋潰膿爲害不小

一初發切忌凉藥蓋乳本血化不能漏泄遂結實腫乳性清寒又加凉藥則陰爛宜矣惟凉藥用於既破之後則佳初發時宜用南星姜汁敷之可以內消更加草烏一味能破惡血

（此頁據中國國家圖書館藏本配補）

逐塊遇冷即消遇熱即潰更加乳香沒藥以定痛內則用瓜蔞仁十宣散（日二百二一）通氣散（日二百二二）間服之然年四十以下者治之多瘥以氣血旺故也五十以上慎勿治之多死以天癸絕也不治自能終其天年若欲加治惟補氣血為主

乳巖之症慎不可治此乃七情所傷肝經氣血枯槁之症治法掀痛寒熱初起即發表散邪疎肝之中兼以調養氣血之藥如益氣養榮湯（日二百二三）加味逍遙散（日八二）之類以風藥從其性氣藥行其滯參芪歸朮補氣血烏藥木通疎積利壅柴防蘇

（此頁據中國國家圖書館藏本配補）

葉裹散白芷腐臟通榮衛官桂行血和脉輕者多服自愈重
者尚可延生若以清涼行氣破血是速其亡也
慈山府武江縣大壯社邑目耆老里役題助以下
大壯社賞授從六品千戶阮文會續題十五貫
秀才裴文端題助五貫　舊副里阮文壘題助二十貫
該總阮蕩題助二十貫　舊里長阮文弟題助五貫
舊付里阮文遊助五貫　百戶阮文奉題助三貫
百戶阮文鼬題助十貫　百戶阮文爭題助十貫

（此頁據中國國家圖書館藏本配補）

舊里長阮文正助五貫　百户阮文東題助六貫

前付里阮文袁題助三貫　鄉老陳文舘題助三貫

題助二貫以下　鄉老陳文路　裴文團

阮文貸　題助壹貫以下　裴文賴　阮文旺　阮文清

阮文峨　阮文柔　陳文炎　阮文燦　阮文雄　陳文烏

陳文發　阮文希　阮文梿　阮文江　阮文選　謝文哄

阮文陸　阮文兔　村長阮文馨　阮文呂

婦道後卷終　靈山監院菍芴戒法名清義奉書

（此頁據中國國家圖書館藏本配補）

R.1141

新鐫海上醫宗心領全帙卷之二十八

坐草良模卷　原引

資始資生之德真至矣乎陽精陰血而山川毓春生夏長而品彙成造化胚胎自有區處況下降生民豈不思所以栽培覆幬容有不及一處耶只惟婦人臨產之辰安危存沒總在須臾猶孤舟航海抵岸方為穩平司命者不得不施心小胆大之智斬開破浪之舩更愈伊以一緩之命全靠于我手即從總之間多岐忘羊未免渡

於一愍且方書所載分演浩繁得此失彼余念其所当
急者次列門目使緣索井然以便一覽書成顏之曰坐
草良模至如胎前產后不甚生風浪何必贅叙是引
黎氏別號海上懶翁引

目次

目次終

皇朝嗣德萬萬歲之三十三年庚辰正月吉日新刻

板留北寧省慈山府武江縣大莊社同人寺

坐草良模卷

海上懶翁黎氏纂輯

後學唐鄗武春軒奉較

產訓 該十條

一經云姙娠子在腹中母子一氣流通全賴漿水滋養十月數足血氣完全形神俱備忽然如夢始覺自能求路而出胎元壯健胞既破而隨漿卽下故易產其困弱者轉頭遲慢愈慢愈乏之愈乏之愈遲胞漿既乾汚血凝塞道路阻滯横生逆產子死腹中母命一縷治者必須滋其榮益其氣使

母子精力接續而運行得力兼爲温其經開其瘀使道路通暢而子力易於轉舒再得老成穩婆在外細心接取自可萬全切勿用力太早虛費精神猛劑催生反傷氣血要知産育一門全仗氣血用事無補精神之藥焉圖胎産之功徒傷氣血之和反貽産后之疾惟保産萬全湯（在後五）補接開導升降温行産際産后備得其宜誠爲産家萬全之法矣

一凡臨産雖遲或一二日或四五日亦無妨産母切勿惧怕要安心定志聽其自然勉強忍痛進其飲食要坐則坐要行

則行要睡則睡保養精神爲第一莫聽穩婆逼迫用力太早切禁傍人多言恐懼以亂其心寺至自然分娩譬如登厠未急則難既急則易此理雖俗知之免禍

一若惆其痛甚急欲離身穩婆傍人彊之用力不知脉未離經（乃一息六至）或沉滑此辰子未出胎與臍腹痛極腰間重痛眼中如火穀道迸急未見此等症候而早自努力以致精神早疲臨產却無氣力不能運送出外多致誤事且横生逆產手足先出亦由用力太早於兒方轉身寺母力一迫故有此禍

實無手足先出之理　一將產最戒曲身眠卧雖腹痛甚亦宜強爲站立散步房中或凭几立切禁攣腰以阻兒轉側尋路也使兒尋到產門被母曲腰遮閉再轉再閉子必乏力决至難產此辰雖有良方妙藥不能令子有力而動只要補接產母氣血更要心安氣和調理精神胎元漸復可保無虞又切戒其憂驚驚則神散憂則氣耗血必妄行多致昏悶

一產婦臨盆必須聽其自然弗宜催迫安其神志勿使驚怯直待花熟蒂圓當自落也

一凡用穩婆必須擇老成忠厚者預先囑之及至臨產務令從容鎮靜不得用法催迫又有奸詭之婦故爲哼（音亨了愚怯貌）訝之聲或輕事重說以顯已能以圖酬謝因致產婦驚疑害尤非細故極當慎之

一凡孕婦臨月忽然腹痛或作或止或一二日或三四日胎水少來但痛不密者名曰弄胎非當產也又有一月前或半月前忽然腹痛如欲產不產名曰試月亦非產也凡此腹痛無論胎水來與不來俱不妨事（但當寬心候辰可也）

一產婦初覺欲生便當惜力調養不可用力妄施恐致臨

産乏力須待兒臨産門一迫自下若辰候未到用力徒然

一姙娠臨産不可占卜問神如巫覡之徒（覡音檄能齋肅事神明男曰覡女曰巫）恐喝謀利妄言凶險禱神所保産婦聞之致生疑惧夫憂慮則氣結滯而不順多致難産所宜戒也

一將産寺宜食稠軟白粥勿令饑渴以乏氣力亦不宜食硬冷難化之物恐産寺乏力及遺産后（傷食之病常令稍飢爲佳蓋飢則氣下産速也）

産難　七因　該七條

一因安逸蓋婦人懷胎血以養之氣以護之宜常辰行動令氣血周流胎胞活動切戒久坐久卧氣不運血

平旋而胎亦滯常見田野勞苦之婦忽然途中腹痛立便生産可知　二因奉養蓋胎之肥瘦氣通於母母之所嗜胎之所養如恣食厚味不知減節故胎肥而難産常見糟糠之婦容易生産可知　三因淫慾古者婦人懷胎即居別室不共夫寢以淫慾最所當禁蓋胎繫胞中全賴氣血養育靜則神藏若情慾一動氣血隨耗火擾其中氣血沸騰三月以前犯之則胎易動而多致小産三月以後犯之一則胞衣太厚而致難産一則胎元泄漏子多肥白而不壽或瘡毒痘毒疾

厄難醫　四因憂疑今人求子之心雖切保胎之計甚疏或問卜禱神或聞適有産變者常懷憂懼心懸氣怯産亦艰难五因軟怯少婦初産者神氣怯弱子戸未舒更腰曲不伸展轉傾側兒不得出又中年婦人生産既多氣虛血少生亦艰难六因愴惶有一等愚蠢穩婆不審正産弄産但見腹痛遽令努力産婦無主只得聽從以致横生倒産子母俱傷皆因愴惶之失七因虛乏之姙婦當産寺兒未欲出用力太早及兒欲出辰母力已乏令兒停住因而産戸乾澁産亦艱難惟可以補血催

生湯見二百三四用之如保產萬全湯見第五最妙

治要該三條催生者乃言欲產寺兒頭至產門方可服藥催之或經日久產母困倦難生只宜服助氣血之藥令兒速生可也大法活以疏通滯澁熱以驅逐閉塞溫以調暢諸經香以開竅通血胞漿先破氣滯血乾者急宜滋補精血以行之倘日久困甚者倍服人参此藥能兼治橫生逆產寔催生保產之第一也若期未至而妄用行氣導血等劑以爲催生亦猶摘方苞之萼揠宋人之苗耳

妊娠滑胎之法，惟欲其坐草之期易而且速，而難易之由，則在血之盈虧，不在藥之滑利。蓋血多則潤而產必易，血虧則澁而產必難。故於未產之辰，但當培養氣血爲主，而預爲之地。若不知此而過用滑利等物，或產期未近，無火無滯而妄用清火行氣沉降苦寒之藥，必皆暗殘營氣，走洩真陰，多致血虧氣陷，反爲臨寺大害。若果肥盛氣實者，如束胎瘦胎二方，亦可擇用。一培養方，如四物坤二一、滑胎日二百二五、五福日二百二六、小營日二百二七、八珍坤四三之類。束胎方，如紫蘇飲見後第六保生無憂之日二百二八　類瘦胎方如瘦胎枳殼散見後第四之類凡姙娠胎元完足彌月而生熟落有期非可催也所謂催生者亦不過助其氣血而利導之耳

臨月該四方　凡姙娠臨月不得屈足而臥防兒轉身礙產不得沐頭以防橫逆又於所處帷房者所當禁絕火氣蓋火能消物必母予受傷臨期預服達生散一二劑錦囊云服十劑此藥能行氣血最當之良方　一云臨月不可洗足以防橫逆

達生散出保產一　訣云　參苓白朮芍芎歸益母陳皮共腹皮香附紫蘇使炙草達生臨月服之宜

益母　當歸酒炒用尾　川芎　白芍炒各二　陳皮　白朮　腹皮各八分

蘇梗　人參　茯苓各五分　炙草三分　香附八分　姜煎空心服簡易

則無茯苓益草餘照本方錦囊無茯苓益母香附加青葱五

根黃楊腦七枚枳殼砂仁各半火夏加黃芩春加川芎濟陰秋

加澤瀉冬加砂仁氣虛倍參朮氣寔加香附陳皮血虛加歸

地形寔倍紫蘇性急多怒加黃連柴胡熱加黃芩濕痰加滑

石半夏食積加山查食後易饑加黃楊腦腹痛加木香官桂

束胎丸　二　濟陰云臨月可服束胎丸[illegible]胎易產

訣云白朮枳殼各等分飯丸每日食前服

白朮枳殼等分爲末飯丸梧子大每日食前三十五丸溫水下

束胎散出錦囊三 訣云條芩蒼朮與陳皮束胎此散服之宜

條芩一兩酒炒 白朮二兩不見火 陳皮三兩 茯苓七錢 散末粥丸梧子大每服五六十丸食遠溫水下

瘦胎枳殼散四 姙娠七八月宜常服瘦胎枳殼散胎滑易產

訣云瘦胎枳殼散所宜草一兩令殼五支又一方加香附末服湯佐以地當歸

枳殼五兩麩炒赤 炙草一兩五錢 一方加香附爲末每服一錢空心白湯下

按枳殼性苦寒單服恐有胎寒胎痛之疾以地黄當歸湯佐之則可
新按懶按胎産之理氣壯則子有力而易生若不察虚寔不
辨補瀉而徒以瘦胎束胎爲事枳殼破氣胎子無力反致難
産昔湖陽公主苦産難方士進瘦胎飲因奉養太過偶得有
功若一槩施治無不暗受其害蓋脾胃乃化生之父母一身
之墻壁能經幾番推倒乎余每臨肥寔氣盛之症惟以錦囊
束胎散按之亦不敢盡劑若見小便已通利胎元已減瘦則
止之多獲安穩

坐草 該七方

錦囊云臨産幾个寺辰寔存亡危迫關係母子性命古人立方甚多然婦人胎産乃大傷氣血之端惟達生散立方甚正奈惟可調理於産前生化湯用意甚深又只可調理於産后並非可濟危急催生之用也今體二方之意合成一方務在萬全屢用屢驗即名保産萬全湯以調補血氣爲先以温中散痰下降爲佐使元氣得力自然健運催生此不催之催也

保産萬全湯 五

可爲臨産萬全之劑也 訣云參歸炙草共川芎牛必桃仁桂共紅膠棗乾姜水煎服萬全保産利先旁

人參三刂至五刂 當歸三刂 川芎一刂

乾姜一ノ炒焦黄　桃仁十二粒不去衣擣碎取苦　炙草六分　牛膝二ノ　紅花三分酒炒　肉桂去皮六分臨用切碎　膠棗水煎服　如產婦壯實及無力服參者去參亦可其效尚倍於佛手散多矣

方旨用人參當歸為君培補氣血壯其主也少加桃仁川芎黑姜炙草酒紅花溫中而散瘀滯也牛膝稍肉桂溫行導下俱無上逆冲心之患不惟催生神效產后更無瘀血凝滯百病凡補而兼溫則不滯溫而兼補則不崩升少降多則氣得提而血易下降而兼升則瘀自去而新自歸補多瀉少邪去

而元氣無傷苦少甘多瘀逐而冲和自在
藥性人參大補元氣爲君當歸大補榮血爲臣川芎入肝以
疎欝滯少寓升提之性則下降之藥得力桃仁苦可去舊甘
可生新活能潤下乾姜温能通行血分焦則令其下降而過
其上升也炙草少緩宮中得受其益不使胎即下墜牛膝既
能下行復走十二經絡令其無滯則氣血効力自爲運行之
勢紅花多則破血少則活血生新耳肉桂借此引經令諸藥
直入血分且能散瘀生則産自易而温可通行也醫學云臨産

切忌驚惶喪孝穢濁尼姑寡婦及不潔之人莫令入房只令老成一二人足矣俗忌人多亦難産其産婦坐者先露其臀當高處牢繫手巾一條令産婦以手攀之服固血藥輕輕屈足良久兒即順生切忌洗母動手於腹上揣摩及服催生峻藥且如菓熟自落兒藉氣血充足而生乃天然之妙若苦催之則逆其性而反殃須待子已至門則腹痛陣密胞水已破并腰痛眼中如火方可坐草須接兒頭直順且正逼近産門方可用力一送若用力太早則産母困倦反致遲滯又試捏

產母中指節若見本節跳動臨盆卽產又脉已離經一息六至或沉細而滑方爲產期倘胞水已下腹痛不甚而脉未離經此非產也名曰弄產又產婦痛甚不肯舒身行動曲腰卧眠胎元轉動方到產門已被遮閉如此再三胎已無力決至難產故臨產最宜戒曲身眠卧與傍人喧動驚恐靜則神安躁則神亡恐則下焦氣迫脹而不行宜用紫蘇飲最妙氣實用瘦胎枳甘散氣虛用達生散

紫蘇飲 六出醫學訣云蘇梗陳皮白芍芎人參甘草腹皮同姜葱煎服方爲當氣脹不行卽遂通

紫蘇　陳皮　白芍　川芎　大腹各五分　人參

甘草各二リ 姜葱煎服

枳甘散 七出医學 同上瘦胎枳壳散 枳壳五刄 粉草一刄五リ

或加香附尤妙散末每服二リ白湯下

達生散 八出医學 訣云 人参白朮草當歸蘇梗黄芩陳腹皮一个黄楊頭水煎婦人臨産服之宜

大腹 甘草各二リ 黄芩 白朮 當歸各一リ 人参 陳皮

紫蘇梗葉同用各五分 黄楊腦一个 葱五根 水煎服春加川芎夏加黄芩秋加澤瀉冬加砂仁氣虛加参朮氣實加香附陳皮血虛加當歸生地醫學云如腹痛而漿未破者只宜用古芎

歸湯以活血丹溪云只宜佛手散最爲穩當又捷效保產云見血方可服未可再進用長流水煎氣不順加蘇梗

古芎歸湯 出醫學九 一名佛手散此辰連進二三劑亦宜

川芎　當歸各二兩　水煎入酒服　濟陰云一切產前產后危急狠狽垂危篤症皆治之簡易云或漿已破而痛少雖痛而不密宜服安胎飲見後十　或達生散見前第八　以固胎元素虛者濃煎獨參湯見後十一　補接助之切不可輕用峻藥滲水傷氣而產愈難治者必須益其榮滋其氣使母子精神運行

得力温其經而開其瘀使道路通達産母聽其眠食以補飢爲佳肉食忌之但不可過眠過食耳以保養精神爲第一策雖遲三四五日亦無妨切忌懼怕莫聽穩婆逼迫用力太早

安胎飲十出保産景岳無砂仁　訣云地芎當歸典朮参陳皮蘇梗並子芩甘草砂仁川芎安胎飲産婦宜尋

當歸　白芍　生地　白朮　人参　陳皮

川芎　紫蘇　砂仁　子芩　甘草各一リ　姜煎服

獨參湯十一人参隨用隔水濃煎服　臨産所向吉方該二法

出六壬姙娠二經余每用頗效　孟月功曹寅　仲神后子

季以天剛加建看丙壬空處月空地産婦向之保安康正四七十月爲孟二五八十一月爲仲三六九十二月爲季天剛乃辰支丙課巳壬課亥以巳亥爲月空此建乃月建也如正月建寅之類又曰臨産之辰以傳送加婦行年魁罡爲産殺無令向之亦不可此方安床傳送乃申支也魁罡乃辰支也女一歲起申位逆行至某位行年是也　假如産在五月屬仲以子乃神后加午月建午乃五月巳亥之方爲月空産婦宜安牀向之則吉假如産婦二十八歲一歲起申逆行二十八歲在巳以申乃傳送加巳行年則辰戌加丑未是丑未之方乃産殺不

可安床與向之　催生該十八方

景岳云若胞漿破后一二辰辰未生即當服催生等藥如脫花煎滑胎飲益母凡之類蓋漿乃養兒之水漿乾不産必胎元無力愈遲則愈乾力必愈之所以速宜催之

脫花煎二十　出景岳　凡臨産宜先服此藥催生最佳并治産難經日或死胎不下俱妙

當歸七八リ　肉桂二リ　川芎　牛膝各一リ　車前半　紅花一リ　催生勿用亦可　訣云當歸肉桂並川芎牛必車前子共紅臨産先宜嘗此藥催生最妙即神功　水二鐘煎至八分熱服或服後飲酒數盃亦妙若胎死腹中或堅滯

不下者加朴硝リ三五　卽下氣虛困劇者加人參隨宜若陰虛者加熟地リ三

滑胎飲十三　出景岳胎氣臨月宜常服數劑易生　訣云當歸杜仲共川芎山藥地黃枳殼同此即方名滑胎飲婦人臨月服之通　當歸リ五　川芎七分　杜仲リ二　熟地リ三　山藥リ二　枳殼七分　水二鍾煎七分食前溫服氣虛體弱加人參白朮如便實多滯者加牛膝

益母丸十四　出景岳一名返魂丹凡產前產后諸般奇症先所不效本草云胎前先滯產后先瘀故名益母也　益母草紫花者是白者非也　五月採取連根莖葉

勿犯鉄器晒乾磨爲細末蜜凡碑子大每服一凡用熱酒和童便化下或隨症用湯引送下一云倉卒用生擣汁入蜜少許服之甚妙　醫學云如胞漿破巳久而産猶難下乃破血多而血乾澁必用古黒神散血虚合古芎歸湯見前第九氣弱合四君湯坤十此辰如舟在砂上須潟水而後可通內服此藥外用葱弍斤擣爛鋪於小腹上用𤍠水灘頭砂一升炒熱將布袱房大切音於葱上輕服包袱也於輕罯操

古黒神散 十五

保産號神應散金治横逆神效錦囊云此藥如魚得水宜速服最妙

百草霜羅細白芷 加麝香一厘散末每二リ水煎入童便米醋調服

四君湯坤十人參三リ白朮四リ茯苓二リ炙草一リ姜煎服

景岳云胎未順而胞先破者其因有二一由母氣質薄

胞衣不固因兒轉動胞觸而破此氣血之虛也一由兒

身未轉而坐草太早用力太過而胞先破者此舉動之

傷也宜急用峻補以助氣血如四物坤二二五物日二百二九滑

胎見前十三脫花見前十二五福日二百三十芎歸前九八珍坤四二之類

八珍一斤加益母四月或黃芪芎歸效斤以大釜煎藥氤氲

痛室使産母口鼻俱受其氣亦良法也濟陰云凡臨産
艱難一二日不下者宜服三合濟生湯

三合濟生湯十六 訣云川芎枳壳並當歸附草紫蘇大腹皮臨産艱難宜服此方各三合濟
生机當歸三ㄗ川芎 枳壳各一ㄗ香附炒大腹皮姜汁洗蘇葉各一ㄗ半
粉草各八分 一方加白芷水煎待腰痛甚服之即産錦囊
云胞漿已破惡水來多胞乾不得下先以四物湯佐之
以四君湯補養氣血次煎濃葱湯洗産戸使上下氣通
更以麻油滑石塗産門内服催生保産萬全湯前五或用

無憂散以固其血血已耗散速用八珍湯加益母

無憂散十七訣云當歸白芍與川芎枳殼木香甘草同再入乳香髮灰等服之固血即爲功

當歸　川芎　白芍各丁リ枳殼五分乳香　髮灰各三分木香

甘草各二分煎成後入乳香髮灰和匀不拘辰服

四物湯坤二十二當歸四リ川芎二リ白芍三リ生地五リ

醫學云或有露頂正順而生猶遲滯恐外感風冷寒暑

脐沮如復恐氣散血沸宜五苓散日二九或三退六一散

冬月氣凝血滯宜五積散或六一散

五苓散 十出医入學 訣云 五苓散內茯猪苓澤左白朮肉桂薔葵子再加水煎服産难用此最

爲灵 猪苓 澤瀉 茯苓 白朮 肉桂 加葵子煎服

三退六一散 十九 訣云 方名三退六一散益元合用惟一月男髮蛇蟬蜕穿山各燒存性均爲末

益元散一月 男子髮一團用香油熬化 蛇蜕一條 蟬蜕五枚 穿山甲一片

各燒存性爲末用薑水煎數沸入髮灰拌勻服之催生

神效簡易云不但多用常服催生甚速

催生五積散 二十 兼治死胎水破二三日不産即退下

訣云 朮考芎歸朴茯苓陳甘白芷桂姜星杏仁桔梗川烏附木半阿膠散末精 蒼朮一 桔梗

五分陳皮三分白芷　桂心　甘草　川芎各一リ半當歸
乾姜　厚樸　白芍　茯苓　半夏　枳殻　川烏
南星　附子各二分木香半分阿膠　杏仁各一リ右各散末温酒
調服覺熱悶加白蜜新汲水調服冬月用之行血即産
惟未散血者忌服　懶按此方性味壯熱率皆温經行
氣導血散陰寒之劑葢惟北方隆冬四野銀山遶冰三
尺不得不然如我國在赤道下不宜例此

六一散 二一訣云滑六リ分草一リ再加葵子二リ連此方各曰六一散水道乾枯服則産

滑石六リ　甘草一ノ　加葵子二ナ右散末每服二リ熱服治
水道乾澁不能下及多服黑神澁藥簡易云有產水乾
經日不下或觸犯邪穢之氣心煩燥悶者用兔腦凡如
腰痛須用參乳方或參歸湯

兔腦凡二二　錦囊各催生丹兔鼠內腎益母訣云鼠腎丁香
臘月兔腦一枚去膜皮研如泥
益母草乳香一分射一匣兔血和凡硃砂衣醋湯赤豆服背宜鼠內腎　丁香　益母
各一リ乳香一分麝香一匣爲末兔血和凡如芡實大硃砂爲衣
油紙封固陰乾每一凡醋湯或赤小豆煎湯下臨男左

女右手握藥出是神效

參乳湯 二三 人參 乳香 各ヲ 神砂 五分 為末雞子清調姜汁化開冷服

參歸湯 二四 黨參 一月 當歸 五リ 川芎 三リ 煎湯頻服

保産云有五六日不下垂危及虛弱女子交骨不開宜用龜殼散服之骨開而生此方催生甚速不論生胎死胎投之立下

龜殼散 二五 簡易號千金

訣云 亀殼散內有亀殼再用芎歸婦人髮 燒灰散末煎三リ交骨不開服即發

龜殼 一个 婦人髮 一握生過 男女即用 當歸 川芎 各一ヲ 龜殼燒灰存性

各散末每ッ三水煎服交骨不開乃陰氣虛也蓋由元氣
虛弱胎前失於調攝致血不能運達景岳以加味芎歸
湯日二百三十補血開之大有奇效或十全坤四二尤妙
保產云有臨產用力過多脉氣微弱精神困倦頭目眩
槀口噤面青髮直不省人事用來甦散

來甦散二六訣云木香神曲麥陳皮白芍阿膠草与芪糯米苧根開口撥各來甦散用之奇

木香　神曲　陳皮　麥芽　黃芪　阿膠　白芍各一ッ
苧根音佇甘草各三ッ糯米一合半氣虛加姜煎抗口灌之速進爲妙

醫學云有胎肥氣滯或人瘦血少或胎弱致臨產難生用無憂散前十七錦囊云凡臨產經日不下用開胃膏濟陰名乳砂丹水爲凡先服酒下

開胃膏二七明乳香一月端午日研細豬心血爲凡如雞頭大硃砂爲衣以佛手散卽名芎歸湯是也送下趙養葵加龜板經疏云交骨不開以柞木湯飲則立開柞木每葉下必㣲一刺其木枝幹直

上錦囊用生化湯加龜板

一集諸家催生各方以備臨辰擇用該十八方

三退散 二八出濟陰 蛇蜕一條 蟬蜕十四枚 男子髮如鷄子大

俱燒灰爲末分二服酒調下兼治横逆死胎

一方用蛇蜕蠶蜕燒存性白榆皮煎湯下

百花膏 二九 麻油一小鍾細火熬數沸入髟過滑石リ一 酒

童便各半鍾攪勻溫服其胎順利而出冬寒去滑石

龜甲散 三十出保産 龜甲一个燒存性放地上碗覆出火

毒研細酒調服立出

五功散 三一出良方 當歸 枳殼 木通 滑石リ各二

水二盞煎七分濾出清汁熱酒半鐘候兒轉身須服之立出

如聖散三二出錦囊　葵子不拘多少每ソ二熱酒調下

經驗方用七七數或三十粒歌曰黃金柄子三十粒研

細酒調能備意命若懸絲在須臾能使眷屬不悲泣

楡皮散三三出濟陰亦治妊娠活胎易產　白楡皮

甘草各一ソ　葵子二ソ爲末每二ソ煎服

如聖散三四出簡易治難產　紫蘇梗葉　當歸各等分用長流水煎服

催生立應散三五出濟陰治產難橫逆

訣云車前當歸各一两白芷冬葵芎枳壳腹皮芎必各一ㄌ水煎服之能立產車前當歸各一两

冬葵　白芷　牛膝　腹皮　枳壳　川芎各一ㄌ

白芍ㄌ一　水煎酒入少許服之立產

催生散三六　出濟陰　即芎歸湯加腹皮枳壳白芷

一方加益母麻仁去腹皮

一方三七　出保產　桃仁　赤芍　官桂　牡丹

茯苓各ㄌ一　腰痛漿下方可服水煎熱服

乳砂丹三八　出濟陰治產難　明乳香爲末以豬心血爲

凡如梧子大硃砂爲衣每服一丸細嚼冷酒下良久未生再服或以蓮蒂七个水煎化服二丸未生再服

二香散（三九）出濟陰　硃砂　乳香　麝香（等分爲末酒調服立產）

黃金散（四十）出濟陰治生產二三日難分娩者服之如神

眞黃金（大者五片小者七片）以小磁鐘入水少許去紙入金在內用指研勻後添水至半鐘令人扶產婦虛坐（煎藥溫服即下）

如神散（四一）出濟陰（催生累效定是灵身於理雖難通於事寔是效一各千里馬真爲神奇）

用路上草鞋一隻（一名千里馬）取鼻取梁上繩一毀洗淨燒

灰童便酒下三ツ

滑水無憂散四二出濟陰　益母急性子當歸各四刃只殼一刃生地蘇葉赤芍肉桂川芎陳皮甘草各一リ鯉魚一尾專治十月已足多因恣情多欲熱毒之物痰血相搏臨產艱難及橫逆死胎服此二貼加烏金丸二顆效如神　訣云益母芎歸陳枳殼地蘇草芍鯉魚活急性子肉桂烏金服之生產自活潑

分作二服每服用水三碗先將魚入水畧溫急取魚出魚死則難取效矣後下藥煎至兩碗臨服之時加入好酒一茶匙每一碗加烏金丸一顆如死胎急取無根水再煎藥連進二次即下

烏金丸 四三 一名七寶丹一名七聖丹臨產腰痛方可服

訣云 白礬白芷桂當歸姜黄玄浚細末爲 燒烘犂頭淬酒服名烏金丸即神医 玄胡 當歸

白芷 白礬 姜黄 浚藥 桂心 各等分 細末每服一

二リ燒犂頭令烘淬酒調下 臨陣痛寺一二リ服即下

阿膠散 四四 出簡易 阿膠 二月 赤豆 二斤 右以水九斤煮

豆令熟去滓納膠合浄每服五合不覺再服 不過三服即生

催生萬全不待遇僊丹 四五 訣云 催生不待遇仙丹蛇 退草麻砵雄黄水飯

和凡碑子大臨辰 産婦臍中安 草麻子 四十粒去殻 砵砂 雄黄 各一リ半

蛇蛻一ツ燒灰右爲末漿水飯和丸如碑子大臨産寺先用椒湯淋藻臍下次安藥一丸於臍中用草紙數重覆上以帛束之須臾生下急取藥去一丸可用三四次

一備採諸家催生單方以便急用該二十六方得於本草綱目太半

一家傳秘方以古芎歸湯加葵子急性子煎服

一方益母草擣取汁七合煎取半頓服立下無新者用乾煎

一方産婦令握石燕兩手各一枚須臾即産

一方益母草半兩溫酒調服入口即産萬不失一

一方桂心爲末童便酒調服一ソ神效一名救苦散

一方用伏龍肝研末每一ソ酒調服兒頭戴土而出

一方臘月兎頭骨煆爲末葱白湯下調服二ソ立産

一方燒銅錢通紅放酒中飮下

一方用魚膠一片新瓦上煆灰陳醋調服立下

一方取弓弩弦以縛腰及燒弓牙令赤納酒飮下取快速之美

一方取神曲末水服方寸匕

一方當歸末酒調一ソ服良久再服

一方赤小豆爲末東流水服方寸匕
一方以早軸脂一大豆服兩丸
一方紅莧與馬齒莧同煯熟臨産服之即下
一方車前子爲末酒服二ソ
一方取夫帯袴五寸燒存性酒調服
一方兎皮燒灰亦驗　一方呑槐子十四粒即産
一方取槐樹東枝令産婦握之易産
一方取紫蘇煎湯調益元散服之神效

一方槐子十四枚蒲黃一合納酒中調温服未下再服

一方生姜地黃汁各半斤合煎服　一方亀甲燒存性酒調服

一方蛇蛻一條全者燒灰麝一字酒調服

一方蒺藜同貝母末服并治胞衣不下

新按懶按催生一節乃不得已用之先哲諄諄告戒相望于冊詳而且備凡謂之催者乃不過補助氣血而為之用也使氣血運化而胎產自易葢胎元完足彌月而生譬由菓熟蒂圓而落此自然之理熟落有期何若相

催眛者不曉此理投之以峻厲之藥於日子未到之寺何異乎摘方苞之萼徒自損傷反懼其禍若臨産脉未離經陣痛未審腰未如折眼未如火此寺惟靜以待之用藥補助氣血使母子精神接續以爲運行之速切不可以烈惡之品欲速建功而爲催促若胞破漿乾之候尤爲補接氣血之秋且胎元全藉胞漿以爲滑生之路漿乾則路澁若捨氣血之外將何以爲潤活之用乎此要係在氣血不在催迫也至於橫逆乃人事不謹於初

須有人力智巧以全之非藥石之所能及此又非催生之可濟也若胞死係是存亡危迫勢在須臾惟以攻下爲計此又非尋常活利之品而可及凡所催而宜催者惟於胎元轉身已得正順而猶遲滯或爲外觸之因或失用力之早此寺力乏不能送下固可催之然催之中亦不失顧盼於氣血之分因所因而調之又畧加濡潤之品如豬脂油蜜酥油葱白葵子牛乳白榆皮滑石之類則可也余常治數婦一婦腰痛三日夜痛雖密而脉

未離經此婦體質厚滯惟以達生散前一加香附木香兼芎歸湯前九加葵子間服彼嫌效遲載舟別求他醫至于半途乃産下此日子未到合當聽其自然倘執持不定患於彼家催促湯藥亂投未必不爲阻遏之禍一婦腹痛纔半日胞漿未多余惟以八珍湯坤四二加益母大劑濃煎成稀膠頻頻灌服經日未見産下彼家憫其痛楚促求催生之藥余不得已每劑只得詭言更方然前後只用八珍補接彼脈藥力無神再求別醫調治將一二

寺間峻劑催逐果至胎死腹中噫醫不審此陸地行舟不爲決堤之水何以流通惟知催廹自取其禍一婦因於大病後臨產形體瘦削腹痛二日夜胞破已久而產猶難下胎中恬然不見動息彼家惶恐以爲胎死切求余攻下之以保母命余以產母病後氣血虛損故胎元無力矣且兩尺沉微眞陰眞陽虛竭倘補助後天氣血乃標末之見不若急求氣血之根方爲可濟余乃以八味作湯大劑濃煎以布參膏冲服果一劑產母精神倍

却二劑胎元活動轉胞而生此惟以補氣血之根爲用使母子運行得力不催而催異哉以陰陽之藥而爲催生之靈寶法外之一也此可知凡欲生産活易不外乎氣血二字而已反之則殃余姑舉其甚效者爲可據之症類於此者何可勝焉

産難證五方　横生　逆生　盤腸　礙産　側産　傷産

景岳云産難經日不下宜用脫花煎前十二催之極妙如横生以小釘刺手脚心三五次塩擦之縮上轉身即生手

先出相傳曰不見塩生醫學云横生者原腹痛辰兒未轉身産母用力一廹遂至横來先露手當令産母安然仰卧以塩畧塗兒手心仍以香油抹之令洗母輕手徐徐催上漸以中指摩其肩推上又攀其耳而正之服芎歸黑神散以固血生血須待兒身正順臨門活生散煎服方可用力送下

芎歸黑神散 四六 出醫學　川芎　當歸各二ッ 百草霜

白芷各二ッ 右爲末先煎以川芎當歸入酒便攪匀入黑神散二リ服之

滑生散四七 阿膠 葵子 滑石爲末溫酒入蜜攪匀服之出醫學

逆産者因産母氣乏關健不牢用力太早致兒未及轉身被逼而露其足當令産母安然仰卧洗母徐徐催足入去安慰産母分毫不得驚恐內多服芎歸黑神散前四六以固血活血候兒自順若經久不生却令洗母輕緩用手催足令就一邊直上令兒一邊漸漸順下多服芎歸等藥直待兒身正轉門路然後服三蛻散前二八方可用力送下

錦囊云橫逆之症全要産母安心飲食無得愴惶屡見

死胎安心無催迫亦能遲遲産下全不用力況活胎乎凡有此不可令産婦盡知其情蓋驚則氣散

簡易云手足不可任久出青者手足難入亦不可妄用催生峻藥盤腸産者乃小腸先出子産而腸未收急用熱水入香油火上潤浸軟舊布直住小腸外用醋半盞新汲水七碗調停噀産母面毎一噀令一縮三噀三縮當收盡爲度又以如聖膏貼住産母頭頂心中腸上卽拭去內兼服參芪芎歸大補之藥加升柴防風以提之

錦囊云待兒與胞俱下產母吸氣提上穩婆以香油塗
手徐徐送八㢲面乃驚寒氣提多致誤事不若以皂角
末吹鼻則腸收景岳云㢲面驚則氣散反致他疾戒之

如聖膏 四八 出醫學濟陰

一方用蓖麻七粒研成膏塗頂上
一方巴豆十六粒蓖麻十四九粒麝香二分共研如泥攤絹上貼之
一方用明礬滚水泡湯溫洗即收
一方用只殼二两煎湯去滓溫浸即收

一方用磨刀水半盞火上溫之以潤其腸後用好磁石
煎湯一盞服之卽收
一景岳云以半夏末搐鼻腸自上
一簡易用火紙燃以麻油潤滲點著吹絕以烟薰鼻腸卽上
一景岳云盛以淨潔漆器濃煎黃芪湯浸之腸自收
一礙產者因兒翻轉臍帶絆住其肩雖正身而不生當
令產母仰臥洗母以手托起頭下其臍帶內服芎歸黑
神散大前四　候兒正順方可用力送下　出醫學

一側産者乃兒方轉身被母用力一逼以致兒頭偏墜當令産母仰卧多服固血藥令洗母用手正之方可用力送下以上各症全賴人事輕手巧妙非藥力所能及也大要産母安心爲上　出醫學

一傷産者驀音麥上也然口噤乃因誤用催生峻藥傷其氣血宜急用安胎飲前下過日而産可也或目翻口噤面黑唇青口中吐沫者宜霹靂丹或來甦散前七無憂散前十七兒腦丸前三皆能治傷産甚有奇效或有因子欲産兒枕先破敗

血褁住而然宜用塩豉散

霹靂丹四九出醫學　訣云蛇蚕兩退男子髮黑鉛草鞋乳香末水銀七分猪血丸金銀爲衣流水灌

蛇蜕一條蠶蜕二〻男子髮一〻燒存性黑鉛三〻路上左脚草鞋一〻燒存性乳香五分水銀七分爲末用猪心血爲丸梧子大金銀七片爲衣每服二丸倒流水灌下或入伏龍肝調下

塩豉散五十塩豉一升以青布包之燒存性入麝香一〻爲末用秤錘燒紅淬酒調服一盞

一方倉卒只以新汲水磨京墨服則墨水褁兒身而出

一方用芎歸益母葵子皆能逐瘀以開産路

一集諸家治産難各方以備臨時擇用 該二方

立聖丹 五一 出濟陰 凡難産横逆死胎不下並治神效

寒水石 四兩半生半煅生研 入硃砂同研如深桃花色爲度每用三分井花水調如薄糊以紙剪如杏葉大攤上貼臍心候乾再易不過三次便産

勝金丹 五二 出簡易治産難神效以敗兒筆頭一枚燒灰研細搗生藕汁下之立産産母虛寒煖湯服

一備採諸家治產難單方以便急用該十六方

一方用桂心一錢為末童便酒調服神效錦囊名救生散治橫逆

一方用臘月兔頭一枚燒灰為末葱白調下二錢立產

一方人參乳香丹砂以鷄子白姜汁調服本方云治橫逆母子俱安

一方用益母汁服能治死胎

一方山查核桃仁大棗枳實香之立下

一方蜂蜜調麻油各半服

一方用蒲黃二錢水調服本方云治胞衣不下神效　一方釜下墨塗足心

一方以牛屎熱塗腹上簡易云死胎及胞不下並治
一方磨刀水塗腹上
一方以紫蘇煎湯洗産戶甚效景岳用治寒月氣滯並治胞衣不下
一方治横逆手足先露以塩塗兒手足心及産母腹
一方令産母以自己髪梢含於口中令其惡心作嘔即下
一方以黒丑爲末酒調服本方云臨月服此則滑胎易産
一方草麻子搗塗手足心
一方用伏龍肝研細每服一ソ酒調下

死胎方 該八 醫學云此因驚動太早或犯禁忌或抱腰太重或頻探試水胞先破血水旣盡而胎乾涸其候指青甲黑子母俱損若舌黑而脹者子已死宜急用奪命丹濟陰云大法寒者熱以行之熱者凉以行之燥者滑以潤之危急者毒藥以下之

奪命丹 五二 訣云 奪命丹內有桃仁丹苓桂芍各等分蜜凡化服白湯下已未死胎取效頻

桃仁　丹皮　茯苓　赤芍　桂心 等分 右為末煉蜜凡重三ソ每一凡入口嚼化白湯滾下入醋少許溫服未出

再服最效穩當無比於此未損者安已損者下又云以葱白濃煎温下二凡則爛出如泥如指甲青黒脹悶不食口中極臭用平胃散加朴硝五ゾ其胎化血水而下保産云此方得於異人傳

平胃散五四出医學訣云治死胎方平胃散朮草硝陳皮厚朴此藥忌炒水酒調其胎化水即下散

蒼朮　厚樸各一ゾ　陳皮一ゾ四分　甘草八分　加朴硝五ゾ

水酒煎服此藥製宜忌炒景岳有當歸去甘草如大便閉脉實用大黄備急丸或单鹿角散

大黃備急丸五五出醫學　大黃　巴豆　乾姜
單鹿角散五六出保産　鹿角爲末葱豉煎湯調服如雙
胎一死一活用蟹爪散能令生者安死者出
蟹爪散五七出錦囊　蟹爪一枚　甘草二兩　東流水十盞　煎至三
盞去滓入阿膠三兩分三次頓服　景岳云死胎之由多
因胎氣薄弱或産母病後又非産期而覺腹中陰冷重
墜或爲嘔惡或穢氣上冲而舌見青黑皆死子之症宜
速用死胎方下之然後察其虛實隨症用之若見唇舌

面色俱青母子皆危之兆

廻生丹 五八 治死胎瘀血逆冲兼治婦人産後諸疾汚穢未淨一切寔邪疼痛見后備用各方門九六

桂香散 五九 錦囊云服此須臾如手推下医學名香桂凡桂心三ツ射香五分散末作一服酒下

一方加白芷名救苦散

琥珀凡 六十 胎動能安胎死能下兼治胎前産后神效七痂八瘕十二瘕心腹刺痛半身癱瘓乳痛結核並治

訣云 桂附芎帰參熟地砞砂琥珀必五味阿膠不沒木沉香續斷茯苓蜜煉治琥珀 砞砂各別研 沉香 阿膠 附子 川芎 肉桂 五味

石斛ツ各五 牛膝 當歸 茯苓 人參 熟地 續斷

木香　沒藥各月一煉蜜爲丸碑子大每服一丸食前午後溫酒化開服諸症隨用斂湯爲引送下

孕婦臨月每日一服産時順利不覺疼痛服至十次則飲食日倍功效不可盡述　一方有牛黃珍珠乳香玄胡

一集諸家治死胎各方以備臨時擇用誌十六方

霹靂丹六一　前十五催生五積散六二　前二十

龜殼散六三　前二五黑神散六四　前十五出醫學並見催生門

三蝬散　前二八出滑陰如聖膏六五　前四八出醫學貼臍上一時

即産下或拭之或貼足心內服催生藥外用皂角吹鼻見產門

芎歸湯六六出醫學　黑豆先用炒熱入白水童便各一刂芎歸各二刂

鬱金散六七出濟陰　訣云地芍當歸百草霜蒲黃粉草桂軍姜四丸黑豆均爲末米

醋沸湯服此一良或産難或熱病或胎死腹中或顛仆或房室或

臨産驚動或犯禁忌或用下藥致胎乾死但見産母舌

面青黑爲候或雙胎一死一活臨時制變

熟地切片焙乾　蒲黃酒炒　當歸　交趾桂　楊芍藥　軍姜去皮

粉草各一月　小黑豆四月　百草霜五刂爲末每二刂半米醋半合

詩浸湯七六分浸起温服若猶疑二者以佛手散坤九三探

之如未死者安若已死者以藥進服更進桂香散前大十

須臾如手推下吾常用備生以葬滑石半兩葵子五十粒槌碎黃柞木七分葱白二寸順流水調下

如神飲六八出濟陰　治姙娠三五个月胎死腹中不出

訣云腹皮赤芍榆白皮活石茯苓与当歸瞿麥草芩冬葵子各爲粗末服之宜　大腹皮

赤芍　榆白皮各三兩　當歸一兩　滑石七リ半　瞿麥　葵子

茯苓　黃芩　粉草各半兩　右各味爲粗末每四リ服

參膠湯六九　出簡易　治胎死腹中乾燥等症

葵子一斤阿膠二两水五斤煮取二斤頓服未出再煎服

丹桂散七十出簡易治胎死不出、官桂　丹皮　川芎

葵子各二少爲末每服二少葱白湯下

下胎丸七一出婦人良方治産難横逆死胎与胞衣不下毋氣欲絶每服三五丸至七八丸

半夏生用白蘞各半两爲末滴水丸梧子大用半夏湯下

牛膝丸七二出濟陰下胎死　訣云金藤牛膝蜀葵根肉桂学帰射香溫齊末糊丸梧子大乳香湯下死胎香牛膝三两紫金藤　蜀葵根各七少當歸四少

肉桂二少麝香五分爲末米糊丸梧子大硃砂為衣每服五十丸乳香湯下

宣明硇砂散（七三）出濟陰治死胎　硇砂　當歸各一兩

研極細分二服温酒下

瞿麥飲（七四）出良方治子死腹中母氣欲絶　瞿麥六兩

通草　桂心各三兩　牛膝　榆皮各四兩　右切細用水九斤

煮取三斤去粗爲三服頓飮卽下

一方無榆皮有天花四兩大能墜胎

一字散（七五）出簡易治子死腹中与胞破不生累有神效及胞衣不下　鬼臼不拘

多少黄色者去毛爲末以手指研如粉極細爲度此藥

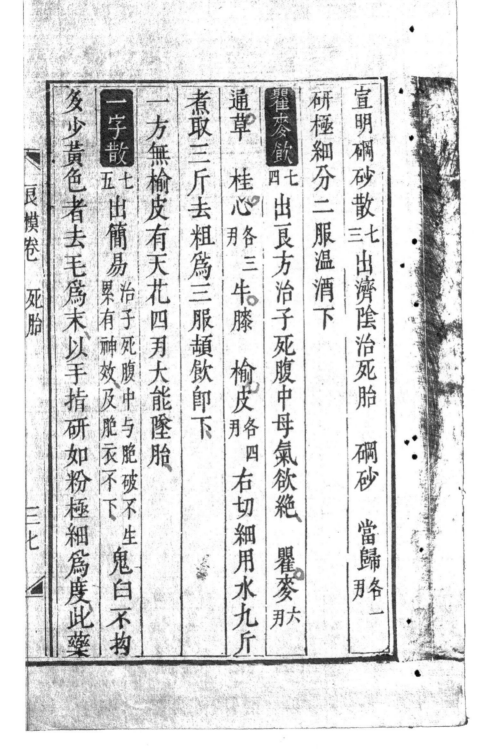

每服三リ用無灰酒一盞煎八分服立生如神

一備採諸家單方以便急用該二十七方　一方樸硝爲末每二リ順流水調下甚者溫童便調服胎下母活亦治胞衣不下

錦囊云產母面青指甲青舌青口臭是死胎宜用此方

一方草紙燒烟薰鼻即下　一方珍珠爲末酒調服盡立出

一方用神砂一刄以水煮數沸爲度取酒服之立出

一方葵子爲末酒調服口噤不開擦口灌之藥下卽活

一方鹿角屑一刄葱白五莖荳豉半合水煎服

一方鹿角一兩燒灰存性爲末每三錢温酒調下

一方水銀半兩桂末三錢温酒下粥飲亦宜

一方錫粉水銀各一錢棗肉丸如豆大水呑下立出

一方鷄子黄一个生姜自然汁調匀頓服分娩用莧菜粥食補之

一方瞿麥二兩擣碎入水煎服　一方紅花煯服二三盞

一方鍋底墨酒調服　一方取夫尿二斤煯沸令飲之

一方米麥赤小豆同煯濃汁服立出

一方以利斧煆赤置酒中待温飲之立下

一方雌鷄糞三十二枚三家米各一撮三家水各一斤合煮東面服之

一方牛屎炒令大熱入醋半盞以青布裹於産母臍上下熨之立出

一方烏鷄一隻去毛切細水煮三斤候温適手用衣帛蘸摩腹中胎出

一方灶心黄土爲末酒調服リ二　一方楡白皮煮汁二斤服

一方治月數不足胎死腹中母氣欲絶取大豆三斤醋煮濃汁頓服

一方用廣猴血リ餘酒化服立産　錦囊秘方子治死胎及交骨不開神效

一方用瓜蔞根焙爲末每服リ二順流水下

一方家傳秘方以甘遂南一握石灰少許二味混研以

緣作野芋形長一寸二分送入陰戸一二時即出

一方用抛皮焼爲末入温酒服

一方以木鱉根紅花蘇木鶴虱草等分水煎服

一方以梧桐皮牛膝南桃葉入水童便各半煎服

胞衣不下　該五方　景岳云有以氣血虛弱不得傳送而停擱不出者其症但見無力而無別痛脹治當補氣調血宜用決津煎或滑胎飲前十三或保生無憂前十七黒神散前十五之類主之並見催生門　保産云腹不脹受挨此是氣虛

决津煎 七六 訣云决津煎内澤當歸膝桂地黄烏藥宜氣血疲弱宜服此不能傳送即時而

當歸三五リ或一兩 澤瀉一リ半 牛膝二リ 肉桂三リ 熟地三五リ不用亦可

烏藥一リ氣虚不用 水煎服氣滯加木香血滯加酒炒紅花

錦囊云胞衣不下有二一因惡血入胞衣脹而不得出一

因元氣虚損而不能出氣虚者總不若萬全方前五去參為穩當

保産云胸中痛脹手不可近此是瘀血

景岳云有惡血流入胞中脹滯不出蓋兒既脱胞帶必

不墜故胞在腹中形如仰葉仰則盛聚血水而脹礙難

出惟老成穩婆以手指頂其胞衣以使血散或以指摸其上口令開一角使惡露傾瀉則腹空自落矣若血滲胞中停蓄既久而爲脹爲痛或喘急則非逐血破血不可也宜速用奪命丹失笑散使血散脹消其衣自下若氣血兼虛惟決津煎爲善

奪命丹七七見前五三兼能下死胎須加當歸一兩炮附子五錢乾漆炒烟盡牡丹各一兩細末另用大黃一兩以酒醋一斤同熬成膏和前藥丸梧桐大溫酒呑下七丸

失笑散七八 蒲黃 五靈脂各等分 爲末每服二三錢用酒
煎熱飲止痛宜減蒲黃止血宜減靈脂
一方用醋一勺熬成膏再入水二鐘煎至七分熱服
一方用醋糊丸龍眼大每一丸以童便和水各半盞煎七分溫服
醫學云皆因用力太早產下不能用力送出胞衣停久
外被風冷所乘則血澁胞脹不能下脹滿冲胸喘急痛
疼者危急將臍帶以小物或軟帛拘繫然後斷截不然
則胞上抱心而死宜內服牛膝湯或催生五積散前二十見催前

甚者奪命丹前七八　如聖膏前四九　貼脚心胞衣下即洗去
稍遲腸出又將膏塗頂上
牛膝湯七九　濟陰無赤小豆有瞿麥四月　牛膝　赤小豆
當歸　木香各三リ　滑石六分　葵子四分　水煎服如昏暈危急
服八味異神散或黑龍丹見後備用門　如肺氣喘促先以鞋
底炙熱小腹炙進奪命丹
八味黑神散八十　出医學　訣云蒲黃赤芍地乾姜桂草諸般二月当黑豆惟加增二月童便熱酒服之良　蒲黃　熟地　赤芍　乾姜　桂心

甘草各二兩黑豆四兩爲末每服二錢熱酒童便調下
濟陰云令產母寧坐不可睡倒若寒月用斷臍法醫學條
如前扶產婦至床靠人坐衣被皆用籠熜火覆之連進
生化湯後九七數貼又於胞下後又服此湯以防血瘀且
於胞未下臍未斷亦宜多服以潤血枯涸氣冷氣閉血
枯胞衣不下以生化湯送加味益母凡益母能行血
養血性善走而不傷人錦囊云婦人百病莫重於生產
產科之難莫重於催生既產莫甚於胞衣不下古方用

花蕊石散最為緊要但石藥非腸胃大虛者所宜莫如生化保產萬全二方選而用之亦有用佛手散坤三九加紅花益母香附山查陳皮牛膝煎成冲童便服、

一治產訖胞衣不下停久非特產後疲倦又恐血流入胞中必致危篤急宜斷臍帶以物繫墜使血不潮入胞中則胞衣自痿縮而下只要產母安心以物繫墜之寺尤宜用心先繫然後截斷不然胞上抱心而死最為害慎

一集諸家治胞衣不下方以備臨特擇用訣十二方

催生散八一出濟陰兼治產難　訣云催生散內百草霜芷活竜肝甘草良
為末芎歸湯調服催生堪作婦人方白芷　滑石　伏龍肝　百草霜各一リ
甘草五分為末用芎歸湯調服立效
如聖膏八二出濟陰　萆蔴子百粒雄黃一リ研末塗足心胞下即洗去
半夏湯八三出濟陰治胞衣不下并治死胎在腹中或血冲胷暈或血滲胞乾而不能產者
半夏一刄半桂去皮七分大黃五リ桃仁去皮三十粒為粗末先服四
物坤二一一二服次用此藥三リ生姜三片煎服如未效繼用下胎凡前七二
訣云此藥方名半夏湯半夏桃仁桂大黃四物先嘗次服此胞衣不下最良方

一蜓散八四出保產弁治死胎一服即甦　蛇蜕全一條香油灯

上燒研麝香少許右爲末童便酒各半盞調服

加味益母凡八五出保產治婦人面赤五心煩熱敗血八胞胞衣不下　黑豆二合炒透八酒秤錘燒烘同淬八豆酒化下益母凡二九胞衣從

血而下諸症悉平

牛膝湯八六出濟陰治胞衣不下腹中痛脹服此藥腐化而下幾不可及　訣云

芎歸牛必与蒲黃桂朴硝各牛膝湯生地一リ姜水煎胞衣不下服之良牛膝　川芎

樸硝　蒲黃各七リ半當歸一月五リ桂心五分右剉細每服五リ

加生姜三片生地一リ煎服

加桂芎歸湯八七出濟陰 治胞衣不下產母元氣虛弱以此溫之自下 川芎

當歸リ各三 官桂リ四 剉煎服

花蕊石散八八 治產后敗血不盡血迷血彙盦胎死腹中

胞衣不下至死心頭猶煖者急用一リ化下其效如神

花蕊石一斤 上色硫磺四斤 各研細和勻先用紙泥封固瓦

罐一个八二味仍封固陰乾如急用以火炙乾用炭火

煆赤去火毒次日取出細研每二リ童便熱酒下

胡氏曰治胞衣不下惟有花蕊石散一件最爲緊要

滕葵湯八九出簡易　牛膝一兩葵子一合右剉水一斤煮至半斤去滓分二服

千金備急丸九十出濟陰治産后惡血冲心胞衣不下腹中血塊錦紋大黄一兩爲末用釀醋半斤同熬膏丸如梧子大温醋湯下五七丸須臾惡血下而愈

黑神散九一出醫學　黑豆三合洗淨炒香熱入醋一大碗煎數沸去豆分三次服並無酸惡之味神效

獨勝散九二出簡易　芒硝三錢水酒各一鐘煎至七分入童便半盞攪服

一備採諸家胞衣不下單方以便急用　該二十四方

一方眞全蝎爲末調服醫学云最神效　一方紅花一両酒煮濃服

一方産婦鞋底熨臍即出　一方灶突墨酒調服本草云速效

一方五靈脂爲末酒調下二リ　一方蚯蚓燒爲末酒下三リ

一方京墨三寸爲末酒調服　一方小麥合小豆煮濃汁飲立效

一方黑牛糞略炒帶潤以布裹之東於腹上立出錦囊云神效

一方以本婦頭髮攪入喉中使之作嘔其胞自下景岳云嘔則氣升血散胞軟自下

一方皂角燒爲末毎服一リ温酒調下景岳云神效

一方灶中黄土一寸研細醋調匀納于臍中煎甘草湯服之立出

一方生地汁一斤苦酒三合煖飲之　一方鷄子一枚苦酒一合和飲之

一方生男吞小豆七枚生女吞十四枚即出

一方取大單衣蓋井上立出

一方菰蔴實一个研細酒便各半盞煎七分去滓温服先是用根亦可

一方取初生洗兒頭湯飲一盞勿令產婦知之

一方以鹿角鎊音旁削也爲屑研細三錢煮葱白湯調下

一方欲產時必先脫常所著衣以籠灶則易產胞亦易下

一方伏龍肝百草霜蚍蜞爲末熱酒調服

一方以白芥食之熱水下芥子亦可　一方伏龍肝五籭葉擣水飲之

藏胞吉方出医學　其法用生氣方忌月空三殺太歲方此方不便則用曆日奏書博士月德方俗置河中甚非　生氣方正子二丑三寅順行十二支　三殺月空太歲方如子年以子方爲太歲餘倣此　奏書方博士方俱詳在曆日　月德方

產后惡症該九症　一臨產時胞衣既下氣血俱虛眼黑頭眩神昏口噤昏不知人古人多云惡血乘虛上攻故致

血暈不知其症有二曰血暈曰氣脫也若以氣脫而行血暈用辛香逐瘀化痰等劑則立死可不慎諸

一氣脫因產際去血過多氣亦隨之而去以致昏暈不省微虛者少頃卽甦大虛者脫竭卽死細察眼閉面白口開手冷六脉微細之甚卽氣脫症也急用人參一二兩煎湯徐灌入但得下咽卽可救常見產后不可用人參之戒必過七日方可用參此等愚昧之說寔為貽害於萬世

錦囊一方　當歸二錢　益母一錢　人參二錢　紅花六分　黑姜八分

水煎冲童便熱服　一血暈由氣虛所以一時昏暈然血壅痰盛者亦或有之如形質氣脉俱有餘胸腹痛脹上冲此血逆症也宜失笑散前七七若痰盛氣粗宜二陳湯日九三如無等必屬氣虛大劑芎歸湯八珍湯之類

一卒昏倒未及藥餌以燒錘秤令赤用器盛置床前以醋沃之或以醋塗鼻口或燒舊漆器以烟薰之皆可急用若虛之甚急宜大補　一産母子宮不收宜補中益氣湯坤二

一産后子宮不閉用荆芥藿香椿根白皮煎服薰洗神效

一産后子腸不收用枳殼訶子五倍子白礬煎湯薰洗
未收再灸頂心百會穴數壯即上
一子宮脫出萆蔴子十四粒炒研爛塗頂心入即洗去
一産后陰脫用絹袋盛炒熱蛇床子熨之亦治陰痛又
法用蛇床子五兩烏梅十四枚煎水日洗五六次錦囊以硫磺
烏賊骨五味子末摻之　産后調治一凡正産體實無
病不藥可也但難産氣衰瘀血停留非藥不行古法用
芎歸湯前九加童便一半鉢服或淡醋磨京墨調服且閉目

少坐後用人扶上床宜仰卧立膝宜高枕厚褥宜禁風再用人手從心按至臍下如此三日不可熟睡宜頻頻喚醒以防血暈血迷夏日房中不可太熱及多人氣産毋宜薄衣不可透風用扇冬月宜密閉房戶四圍炭火常令温煖下部衣裳不可去又時加醋炭或磚瓦燒烘醋淬或燒乾漆與舊漆器以防血暈食無太飽力無少勞離床洗浴不可太早當時不覺大害後即成蓐勞將息百日巳過方可入房出医學錦囊禁多飲酒恐引血入四

肢戒七情勿可梳頭忌言語愛憎喜怒不可獨宿不可
刮舌刷齒犯時微若秋毫成病重如山岳産后不可食塩
塩能止血無乳汁發咳保産云兒下時即服生化湯數
貼如腹饑甚服一貼後即食白粥不可過飽片時即服
完如未食而能服完者甚效如虛甚不便服藥則先童
便半鍾少入熱酒服之後服藥則瘀血化下新血驟生
百病悉除每服一貼則精神漸增自不厭藥之頻七日
常服亦好或血塊未除再服如劳倦太甚形脫而喘急

加人参归三頻灌無憂產后良方無以此見後加備用治兒桃痛

以生化湯後九合不換金正氣散日二百三一煎服

起桃散九三出濟陰余常用屢驗治惡血不行腹中塊痛甚危訣云牡丹白芍桂芎歸浚

藥蒲黃五灵脂白芷玄胡童便服腹中塊痛服之宜當歸白芍各三リ川芎二リ

官桂　玄胡　牡丹　蒲黃炒　五靈炒　沒藥　白芷各三

水煎入童便空心服　家傳秘方用川練嫩葉入食盐

少許爛和水服　小兒初生調治詳在幼幼須知卷

產家備用各方

秘傳濟陰丹九四 出保產 錦囊無姜活有赤芍六刂
各返魂丹益母草石臼末八兩 當歸 川芎各三兩 廣木香 姜活各二兩
錦囊云治生產諸橫逆死胎及胞衣不下產煎多清熱
養血之功產后有推陳致新之力治婦人胎前產後諸
症功效甚多其法端午日或六月六日採益母莖葉帶
花陰乾忌鐵共爲末煉蜜和丸不拘大小每服二丸如體
厚及危症便當連進應手取效大有廻生之力附症換湯引用
一臨產催生童便和酒下 一妊娠臍腹絞痛砂仁碎煎湯下

艮模卷 備用 四九

一橫生逆產與胞衣不下腹痛危廹童便和酒化下盞酒亦可

一胎不安血不止當歸砂仁煎湯下

一產后童便和酒連進兩服能逐瘀血生新血

一死胎冷痛危廹童便和酒煎一沸化下

一產后惡血不盡臍腹刺痛童便和酒下

一產后渾身骨節疼痛溫米泔湯下

一產后昏倦眼花口乾煩燥狂言見鬼不省人事童便和酒藩荷汁下

一產后煩渴呵欠不思飲食手足疼痛或麻木溫米泔湯下

一產后浮腫氣喘而小便澀咳嗽惡心吐酸脇痛乏力溫酒化下

一產后誤食酸物崩中漏下狀如鷄肝脊背悶倦蓁芃糯米或桂枝湯下

一產后未滿月誤食冷物與血相繫或積滯或痢或菪紅花湯下

一產后中風牙關緊急失音不語半身不遂童便湯下

一產后鼻衂血乾舌黑童便化下

一產后赤白帶沒藥阿膠煎湯下或蓁芃糯米湯下

一產后誤食熱物結成腹塊倦怠盜汗月事不調似骨蒸痨童便和酒下

一產后大便閉心煩口渴童便酒下

一產后寒熱如瘧臍腹作痛桂枝煎湯下

黑龍丹 九五 出錦囊 訣云生地芎歸百草霜灵脂琥珀又良姜乳香硫磺花蕊石臨用生姜頓服良 治產后難生或胞衣不下產后血暈不省人事血崩惡露腹中刺痛血滯浮腫血入心經言語顛倒血風相搏身熱頭痛或類瘧疾胎前產后諸症垂死無不救活者

靈脂 當歸 生地 川芎 良姜各二兩

入砂堝內紙觔鹽泥封固煅烘候冷取出研細入後藥

百草霜二兩 乳香 生硫磺 琥珀 花蕊石各二兩

爲末同前藥和勻米醋熔麵糊凡碑子大臨用炭火煅烘挍入生姜汁淬之以無灰酒弁合童便頓服神效不可尽述

廻生丹九大出簡易景岳無馬鞭盔毋三稜治一切胎前産后最驗

錦文大黃一斤為末蘇木三两打碎河水九碗煎取三碗咱用米醋九斤陳者佳

大黑豆三斤水浸取壳絹袋壳与豆熔熟去豆不用將壳晒乾其汁留用

紅花三两炒黃色入好酒四碗煎三五沸去滓留汁咱用右將大黃末一斤入淨塌入醋三斤文武火熬之以長木節不住手攪之成膏再加醋三斤熬之次第加悉然後加黑豆汁三碗再熬次下蘇

木汁次下紅花汁熬成大黃膏取入瓦盆留之粃赤錘下入後藥同研　人参(二両)　當歸　川芎(各酒洗)　香附　玄胡(各醋炒)　蒲黃(隔紙炒)　蒼朮(米泔浸炒)　茯苓　桃仁(去皮各一両)　牛膝　地榆(各酒洗)　白芍(酒炒)　炙草　姜活　橘皮　馬鞭　木瓜　青皮　白朮(米泔浸炒各三両)　烏藥(三両五钱)　益母(二両)　良姜　木香(各四钱)　葵子(三钱)　乳香　沒藥(各二钱)　熟地(酒蒸如法)　三稜(醋浸透紙裹煨)　五靈(酒煮焙研)　山茱(酒蒸各五钱)　右三十味并前黑豆殼共乾晒爲末入石臼內下大黃膏拌勻再下煉熟白蜜(一斤)共擣

千杵取起爲丸每丸二リ七分浄室陰乾須二十七日不可日曬火烘乾後只重二リ有零蜂蠟護之用時去蠟調服隨症換湯引用列后

一臨産用人參湯服一丸則分娩全不費力無參用淡炒鹽湯橫逆者同治氣血多損宜多用參

一子死腹中車前子一リ煎湯調服一丸無不立下其效如神若血下太早子死用人參車前各一リ煎湯服先參用陳皮酒煎

一胞衣不下用炒鹽炮湯調服一丸

一産后血暈用荊芥湯調服一丸

一産后三日氣血未定血暈眼花用滚水調服

一產后七日不食與血聚胸中痞悶口渴煩燥滚水下
一產后虛羸血入心肺熱入脾胃寒熱似瘧非瘧也宜滚水下三三丸
一產后敗血走注五臟轉滿四肢停留化爲浮腫渴而四肢覺寒乃血腫非水腫也燈心煎湯下
一產后敗血極熱煩燥顛狂非風邪也滚水下
一產后敗血流入心孔閉塞失音用乾菊花三分桔梗二分煎湯調服二丸
一產后月中飲食不謹時兼恐怒氣敗餘血流入小腸閉却水道小便結澁溺似鷄肝木通

四分煎湯調服　一產后百節開張血入經絡停留日久虛脹痠疼非濕症也用蘇梗三分煎湯調服

一產后惡露未淨飲食不調以致崩漏形如雞肝色潮熱煩悶腰背拘急白朮三分陳皮一分煎湯調服

一產后血停於脾胃脹滿嘔吐非胃翻也陳皮湯下

一產后敗血入臟腑并走肌膚四肢面黃鼻衄口乾遍身瘢點危症陳皮湯化下

一血流入大腸閉却胎門大便澀難有瘀血成塊如雞

肝者用陳皮三分煎湯調服

一産后小便澁大便閉乍寒乍熱如醉如癡滚水下

以上諸條皆敗血之害故此丹最有神効又如産后一切異症醫所不識人所未經并服此丹無不立効一凡未應連進二三凡必效無疑又胎前常服此丹壯氣滋陰養胎順産和平臟腑調理陰陽室女經閉月事不調衆疾皆效

生化湯七九出保産景岳有嘉地归三此方行中有補化中

有生寔産后之聖藥以其能去舊而生新也故名之凡産家預備數貼至胞破卽蒸一貼候兒生下卽服婦人臨産雖壯寔人亦宜連服數貼以防他虞卽佛手散之變方也　當歸八リ川芎四リ桃仁十三粒生用乾姜五リ炒黑炙草五分水二盞煎七分加酒童便少許稍熱服先煎一貼服再以一貼煎服兩渣共置一處又煎服要在亇時辰內未進飲食服完爲妙則血塊速化新血自生倘惡露未淨當連進服病退乃止諸症加減具列于左凡産后

理應峯補但惡露未盡用補則滯參芪朮須得化又能生故無損氣行中帶補方始萬全世以四物爲產后要藥誤矣蓋地黄滯血芎藥酸寒無能補也故立生化一方產后諸症能事畢矣

一勞甚血崩形脫加人參三頻服汗多加黄芪煩燥加竹茹渴加麥門五味喘加杏仁桔梗

一大便不通血少腸燥加麻仁蓯蓉或服當歸數斤虛加人參三服勿用下藥參乃權宜之用於危急際法日七日內血塊未除用參芪朮則痛不止甚則攻心而死

一七日內感寒冷血塊凝結痛甚加桂五分

一肥人有痰暴怒卒中加天花粉竹瀝姜汁形損無汗加鹿角炭二錢以本湯送下滚醋入嘴瓶冲童便薰鼻即醒形不脫不可加參　一血暈昏倒不省人事其症有三一因困倦氣竭二因血去過多元氣欲脫三因痰火乘虛上泛內服加味本湯外用磚瓦燒烘醋淬薰之仍以本湯加荊芥橘紅煎服汗多加參芪惡露未盡不可妄用腹痛加肉桂痰加竹瀝姜汁脉絕加人參四兩麥門五味各一塊痛甚以本湯吞斑龍散乃鹿角燒存性去火毒爲末每二錢

一氣欲絶牙關緊閉用管入喉中灌之不拘數貼外用熱手在單衣上揉心腹頻換熱衣裳以煖之病退而血塊未除又去參芪只服本湯以除塊痛待痛止再加參芪

一惡露不下乃氣血虛損外爲風寒乘搏以致敗血不行壅滯爲害止服本湯若血行不止由傷損經絡故淋瀝不止如七日以外用加味四物湯補而止之七日內用本方加荊芥子

一發厥乃勞損傷脾孤臟不能注於四旁陽氣下衰而爲厥逆必倍加人參附子一二刂以

回陽止逆棗二枚煎服厥回減参痛盡又用大抵治暈逆
厥如有血塊参朮不可遽加無血塊参朮地黄並用先与
一血崩形脫氣促多汗去乾姜加荊芥四分肉桂五分棗二枚
煎服只兩貼後不用汗多加参芪朮渴加麥門瀉加茯
苓脉伏加麥門五味痰加竹瀝姜汁喘加杏仁貝母桔
梗驚悸加棗仁梔子鮮血來多加白芷升麻
一産後發熱頭痛三陽症加陳皮三分棗三枚煎服如果有
感月風寒加姜活四分連鬚葱頭四根嘔吐加藿香三分生姜

三斤汗多氣促微喘加人參二ソ燥渴加人參麥門五味乍
寒乍熱發有常度加柴胡四ソ有痰加天花粉桔梗各四ソ
一治中風類瘞症氣息欲絕雖虛火上泛爲痰當從本
治不可用治風消痰之劑則重傷其血但服本方如有
痰有火少加麥門竹瀝姜汁之類如芩連知栢斷不可
用愼之如汗多口噤抽搐與盗汗本方去桃仁加參芪
各二ソ半麻黃根七分天麻八分荊芥防風各四分棗煎服痰加
竹瀝姜汁神脫加人參附子大便秘加麻仁

一氣短喘鬱本方加人参ソ二茯苓ソ一汗多去之

一旬日內感風寒咳嗽聲重有痰去乾姜桃仁加人参貝母

桑白皮杏仁橘皮半夏燥以天花代之痰盛加竹瀝姜汁

一忿怒氣逆腹滿血塊大痛加木香ソ三磨服

一產后食胃弱停滯宜審所傷何物傷食完穀不化減

桃仁加山藥ソ二肉蔻一枚傷肉加山查砂仁冷物作痛加

桂枝茣茱虛加人参痛加桃仁痛止加白朮傷麥物加神曲麥芽

一胃脘痛及風寒乘虛入腹作痛加肉桂八分茣茱七分

姜三斤煎服傷何物加導藥治之
一血塊未除而泄瀉加茯苓蓮子訶子生姜三斤煎服不止加人參
一痢疾滅乾姜加茯苓木香
一產后血塊未除而霍亂去桃仁加茯苓砂仁藿香陳皮煎服手足冷加附子生姜三斤有汗忌姜
一血塊未除嘔逆不止加人參砂仁藿香生姜
一小腹作痛加肉桂五分玄胡三分塊痛止去之若無塊痛臍下疼痛加熟地三分
一上體多汗加麻黃根下體多

汁加漢防已盃兼加黃芪陽虛厥逆加桂附煩熱加牡丹骨皮　一外傷寒濕加蒼朮白芷

一噤口如中風狀反張瘈瘲如荊芥防風各三四匁

一産后血不止或如漏屋水沉黑不紅或斷或來或如水或有塊淋瀝不斷此氣血大傷之候不可誤用寒凉脉浮脫者加附子諸輩陽分藥否則無救

一血積食積膓有燥糞臍腹脹痛加大黃三匁

附算胎法　先尋母歲上别之次加胎月在中宮後以父

歲置居下成卦陰陽乃斷之假如母二四六八十以二列其上胎月居中父歲一三五七九再以一居下瀕成卦如母歲三十八以二在上五月胎以一居中父歲五十二以二在下成坎卦如母歲三十五以一在上五月胎以一居中父歲五十一以一在下成乾卦如母歲三十四以二在上五月胎以一居中父歲五十五以一在下成兌卦如母歲三十七以一在上五月胎以一居中父歲五十六以二在下成巽卦奇爲男偶爲女 又法父母之年上下置受胎之月從中攝

乾坎艮震是爲男巽離坤兌是成女

坐草良模卷畢 清義敏書

新鐫海上醫宗心領全帙卷之二十九

幼幼須知集

小引

物稟靈曰人受二五之氣以有生囡（音和臥切）地一聲之後百骸九竅乃全六慾七情各備自來嬌嫩垂及長成容有大小差別乃醫療諸條目每不盡于大人之旨而肆爲專門異治何若是之分棄煩冗也方書曰治十男子不若治一婦人治十婦人不若治一老人治十老人不若治一小兒古人又有啞科之

稱此無他焉小兒痛苦不能告人凡有所傷惟是啼哭無以辨驗診之治難無逾此也獨先哲景岳公著論有曰較之大人更為甚易以其外無六淫之交纏內無七情之斲喪自驚痫之外凡有疾病則飲食為祟居多若能審因調治又為易中之易者余讀至此　毛髮聳然卽讚嘆道此誠聞古之所未聞言人之所難言軒岐而下一人而已余苦於晚嗣服陰陽眞藥生育不下八九而彭殤者只惟二三且余所禀最薄生子更薄出胎之後湯藥調停寺不絕口故於衛生諸篇惟

兒科一耆叟爲卧針懸胆因症處方自有刻骨之銘盍信乎
知要一言爲不誣已何世之治小兒者不究純陽無陰之旨
補陰以配陽而一槩以純陽昜於發熱擧手便用苦寒既禀無
陰而又去其陽陰陽俱無而欲其生長萌芽以成喬松歲月
者不亦遠哉余深爲此病乃撮取兒科病症病源百家方論
會成一集顏之曰幼幼須知以備諸先賢成法又於集尾續
之業生一篇是余之得心應手者願鬻其悃奥以爲濟生之
一點善懸

黎氏別號海上懶翁引

會刻桂楊縣隔陂社丁卯科解元原諒江府知府寛

北省商辦軍務阮高

校刻武江縣大壯社同人住持沙門

皇朝嗣德萬萬年歲次庚辰三十三年正月吉日刻

板留同人寺

集例

一集中先錦囊次景岳以爲提綱醫學八門則須會之廣及
諸方書撮其精髓者與諸治驗家傳並參補之
一集中分五卷例配五行自四要條以及丹毒該九十條乃
児科之專門自發熱條至胎毒諸瘡共三十八條宜與大
人參看啞科中纖畢備具積古會今無以加矣
一諸條中各分爲四目一審機二別症三治法四處方理義
分別線索井然使觀者知其得病之所由了然於外象之

應候得投治之規範別方藥之異同如金卷不分四目以其語脉不遠数句間可以兼備不必以此泥之

一諸藥方凡與病情所親切者各列在本條下以備一覧餘者可於旁求以備參考且厭其冗竝會在次卷

一藥生篇乃余參稡中心領神會曲盡底蘊以數陳之使學者知一言而終之要自無問津之茫然也

凡例終

目次

金卷以下

目次畢　該一百二十八[illegible]　附錄十二

新列芳名題助列計
抵寧脊堂列憲大人題助三百貫
本省梟臺范處彌題助精銀一笏

本省學政堂吳安亭題助十貫
多福府知府嚴春芳題助一百三十貫勸示轄內題助二
百二十五貫　原陸岸縣知縣鄧廷鑑勸助三十五貫
頓成分府同知府武璉題助葩銀五元
陸岸縣知縣阮如珅題助精銀一笏
錦遊縣知縣武有璉題助三十貫

幼幼須知金卷

海上懶翁黎氏纂輯

後學唐鄗武春軒奉較

醫家四要

夫望聞問切乃醫家之四要缺一不可經曰望而知之謂之神望見五色以知其病之所處也聞而知之謂之聖聞其五音以別其病之所出也問而知之謂之工問其所欲五味以知其病之所起所在也切而知之謂之巧診其寸口視其虛

寔以知其病在何臟腑也故先望而聞次問而切誠不易之要旨矣況小兒氣血未定易大易小寸口難憑非四者合參揆度何因洞見精微故謹將四要著於篇首

面部圖

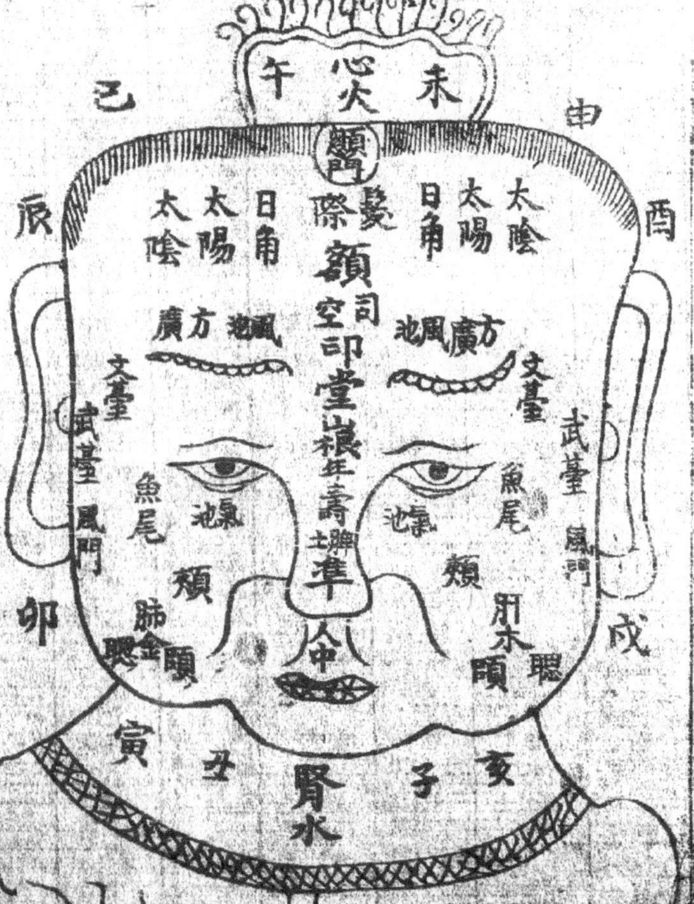
午
心火
未
巳
申
顖門
髮際
日角
太陽
太陰
日角
太陽
太陰
辰
酉
額
司空
印堂
方廣
風池
方廣
風池
文臺
武臺
文臺
武臺
山根
年壽
土脾
準
魚尾
氣池
魚尾
氣池
風門
風門
顴
顴
卯
戌
肺金
聰
頤
肝木
聰
頤
人中
寅
丑
子
亥
腎水

望色

顖門　下陷赤腫熱極而黑色者死

正額　紅者主心經有風熱睡卧不寧驚悸煩燥若見青黑色者主心中有邪驚風腹痛手瘈瘲而啼叫若青黑甚者主心腹疼甚若微黄而皮乾燥者主有盜汗

左太陽

青色主驚而輕若紅色傷寒鼻塞變爲壯熱黑青色主

乳積

右太陽

青色主驚而重若紅色主風抽爲眼黑者死

左右太陰

紅色者主内外有熱紅連文臺者熱極連武臺者漸生

變症

風池

紅色者主風痰將因發搐

印堂

青色者亦主受驚若青紫黑主客忤祟衝若青黑者主腹痛多啼兼紅主驚熱白爲無病一云連準頭紅者主三焦積熱若連紅至山根主心與小腸熱小便赤澁　一云有黑色者多死症

山根

青色者亦爲驚候若紫色者傷於乳食若見青黑者必凶絶

一云山根至鼻准紅者主心熱胃大小便澁黃色主霍亂紅色主夜啼紫色傷飲食

鼻上

赤色者主熱而不思飲食若深黃色者主小便不通若鼻孔乾燥氣粗有聲者主有衂血若青色者主吐乳若淡白身泄瀉不食若鼻中乾燥主二便不利若鼻孔黑燥仰起者主肺絕矣手足無紋唇中無痕者並為不治

一鼻中癢甚者是肺氣盛而五痱傳經也若鼻下赤爛者是肝氣盛而肺痱見症也若鼻如烟筒者是大燥金爲驚卷中症

凡白色見於鼻準或於正面色如枯骨或如擦敗殘汙粉者是肺絶主死

又云或如臙粉梅花者只是肺邪或中寒咳嗽哮喘氣虛之屬

一云黃色見於鼻乾燥如土偶之形者是脾氣絶主死

一云若如桂花雜以墨彙只是脾病飲食不快四肢
倦怠脹悶泄瀉嘔吐之屬

方廣　光潤為吉昏暗為凶

風門　黑色主疝氣痛若青色為驚紅主吐瀉

氣池　紅色主傷風有熱八裏

兩頰　色似青黛者主客忤黃色痰寔者驚風

兩頤　赤者主啼哭驚熱兼黃色者為吐
一云腑熱　一云頤下赤主腎熱若非寺弄色者主

胎風客忤

左臉

紅者主肝風熱身熱拘急若青黑者主驚或腹痛若

淺赤色者主乎潮熱

右臉

紅者是傷風熱若淺赤者亦主潮熱或大便堅氣粗

壅嗽若青白主咳嗽惡心若青黑主驚風發搐或盤

腸内釣腹痛等症作矣

一云兩臉青色者主多啼作嘔

一云右臉青色者主嘔逆多痰

一云兩臉赤色者主乍乘風熱

一云兩臉如土色者主七日內死

一云兩臉赤如大豆片者此胎熱主一月死

兩眉

紅者主夜啼若眉中心淡白者主泄瀉糞白食物不化

然久病而紅者必死

一云紫色主風熱若身熱而眉攢不舒者主頭疼不熱而慾者主腹痛下痢或熱雖（若眉間白色主霍亂絞痛）三焦黄主積熱虚浮赤必慼風頭楚青主驚搐黑者危在旦夕

兩耳

耳前微赤者主乎耳聾若微黄主腎驚睡中咬牙若耳輪乾黑者（一云乾燥）主骨蒸熱

一云耳尖黑耳後骨黑耳穴中黑鼻孔如煤甲黑嚼指吼叫數聲或作鵶聲及尋父娘衣俱爲不救

一云凡黑色見於耳或輪廓內外命風門懸壁若污水煙煤之狀者是腎絕主死若如鳥羽之澤者只是腎虛火邪乘水之屬

兩目

赤者是心　肝熱主風熱煩燥若黃色者主脾積而口臭不食若青色者主肝風熱而驚若目皰（音砲面皮生皂也）浮腫者主久嗽惡心或食積成癖若目睛黃赤色者主早晚發熱若眼尾細碎有紅紋者主驚風內釣若目鮮者亦主驚若指

拭眉眼者主欬生風若眼朦朧者主手肝熱多變雀目

若目胞腫晄早面浮主脾積

一云凡諸病而兩目朦昧如魚目不能轉者死若外雖

昏困而神臟不脫者生

一云面目浮爲脹喘

一云凡黑珠滿輪而睛明者少病若白睛多或黄或小

者此禀弱多病

一云目紅內赤者心熱淡紅者心虛熱青者肝熱黄者

脾熱無睛光者腎虛黑珠滿輪睛明者少病眼白睛多
或黃或小者禀弱多病
一云凡見目碧而睛更如魚目者主夜死（蓋肝屬目筋絕不能轉）
瞳人屬腎腎絕則瞳人不轉主日死
年壽　赤光色者主多生膿血痰
正口
常紅者為無病若乾燥者主脾熱若白者為虛
一云白主失血青黃驚積青黑者死若口出涎沫者（虫痛）

一云凡赤色見於唇口及三陰陽上下如馬肝之色或如死血之狀者是心氣絶主死

一云口吐白沫而面黑者死口四角煤黑者死

一云若如橘紅馬尾色者只是心病或有大熱怔忡驚悸夜卧不寧健忘之屬

唇

唇紅而赤者為傷寒若白主吐涎嘔逆或吐血便血衄血若紅赤乾燥而皺者主渴若紅赤而不皺者主口臭

大便不通夜間心煩不睡而癲叫若黃而口臭者主脾
積若紅赤者亦主衄血若唇口白動者主乍驚熱若唇口
紫色者主吐涎虫痛唇青者脾寒或寸肚痛乳食減少
亦有氣血虧寒而青若口瀉清水者數生重舌或口瘡亦有脾冷
流涎者
一云若唇闇紫色主蛔虫攻冲痛道霍亂唇深紅色者肺
虛熱也唇白者肺虛也然白而澤者可治白似枯骨者
諸疾愈後忽大喘唇白者皆死

一云唇繭淡白者傷食復傷熱壅脾家膓鳴腹脹

舌

舌裂舌衄舌上苔刺者皆陽毒也生瘡心脾熱也舌捲主驚舌乾舌白舌黑舌燥舌胎舌黃舌赤腫者主大便不通若久瀉久痢後而舌黑者死

一云舌黃者傷脾白苔者消渴紫厚如荔枝殼主熱聚三焦裂舌破舌有血者主邪熱攻心甚有青苔或如白紫並不治

一云弄舌者是脾微熱大病後而弄舌者凶

人中

黑者主腹痛虫動若黑點黑者主吐痢若兩邊黃者主傷食若純青者主乳食不化便青糞

一云喜深長惡平滿

一云人中候小腸黑者主瀉痢死人中黑九日內必死

承漿

青色因食而驚或煩燥夜啼

頰

赤色者主膀胱熱小便不通

面部總看

鼻候肺主白色秋旺目候肝主青色春旺舌候心主赤色夏旺唇候脾主黃色四季旺
耳候腎主黑色冬旺若忽然見青黑主痛赤色主熱白者主冷黃
者主積五部皆青主驚積不散欲發風候必其神彩不窮上上下下皆紅
主痰積壅盛驚悸不寧必其神彩無光悅恍忽忽皆黃主食積癥聚必其神散
漫昏昬矓沉其候寒熱飲食不調氣粗痰滿倦睡喉喘或瀉痢皆白主肺氣不利大腸滑泄
水穀不分欲作吐痢必其眸凝濁失其精神皆黑主傳不順症為病危
急必其神昏沉沉必不治悶忽然如青紗蓋定從髮際至印堂者不問病氣輕重
主六十日死若至鼻樑主三十日死至人中不過十日死若色盈面即日死凡諸病雖愈若見赤

色出於兩顴大如拇指者必復卒死黑色出於天庭間大如拇指者雖不病亦卒死凡面青而唇黑者主晝亡雖脾屬土青者木來尅土黑者是土絕水勝主木日寺死凡面黃而目或青或赤或白或黑者皆不死若面青目赤面赤目白面赤目青面睛黑者皆死蓋色中無黄胃氣已絕也凡青色見於太陰太陽及魚尾正面口角如大青藍葉或怪惡之狀者是肝絕主死若如翠羽栢皮是肝邪必有怒病風病驚病目病斃之凡見初生面上多變顔色者號惺惺候主一月內死凡滿面紫黑主慢驚七日死凡見青色從眉入目者青色連目入耳

青色八口鼻黑色多遶口鼻青色從眉繞耳者耳目口鼻起黑色髮際壹條青筋或紫青筋如亂紋目胞上下青紫亂紋及目尾一條青黑筋直入鬢者面色如紫鷄肝與唇口鼻常常青黑色以上等症皆爲不治

聞聲

聲由氣發故肺爲聲音之本腎爲聲音之根氣實則聲壯而音韻悠揚氣枯則聲怯而乾枯斷續若輕清者亦氣弱也重濁者風痛也高喊者內熱欲發狂也聲急者神驚聲重者痰

䰝聲戰者寒聲噎者氣不順聲喘者氣促噴嚏者傷風驚哭聲沉不響者腎怯聲濁沉靜者痹積如生來不大啼哭聲啾唧者夭又亘聲往來而無淚者是痛達聲不絕而多淚者是驚聲如甕中出者傷風忽然驚叫者實動半夜發者多有口瘡

問症

一問初年晚年所得在初年氣血充盈則兒稟厚在晚年氣血衰少則兒稟薄

一問父母強弱貧兒之父母素稟強弱則知兒所得書肚癯羸瘦父虛辟顯由鍾氣之不足也且膏粱藜藿法當異治也

一問懷姙時病否　胎期無病則氣血下蔭有餘倘疾病連綿則胎中怯弱

一問產期滿足否　十月爲滿足七八月爲不足取象於三才各得其九三九二十七故應二百七十日而生於中虛計一月以應十月數經曰九又爲上八八次之七七又次之滿足者氣血充盈不及者氣血不足

一問乳食多少　乳食多則脾胃強少則疾病生

一問小便利否大便寔否　通利則知肺氣有餘堅寔則知腸胃壯寔

一問歲月齒生顖合　腎主骨先天稟厚女則七月而齒生七歲而齒更男則八數適年而顱骨合諸過期者爲不足

一問幾月能反覆能坐能立能行　百日任脉成能反覆一百八十日尻骨成能坐二百

四十日掌骨成能匍匐三百日髓骨成能立三百七十日膝骨成能行不如期者虛

一問睡卧安穩否 凡睡則陽行於陰陰足則血生心統血神有所藏則安穩睡中驚惕陰虛也

切脉

凡小児半歲以上宜看額脉週歲以上看虎口脉男五歲女六歲看寸口脉

額脉 法於眉上髮際下以無名指中指食指揆之察某指寒熱定消息別病情食指為上中指為中無名指為下

三指俱冷主臟寒吐瀉　食指熱主胸熱

切脉　二十

無名指熱主傷乳食不消

食指熱中指無名指冷主上熱下寒

無名指中指俱熱主夾驚風之候

三指俱熱主感冒寒邪必見鼻塞聲重

虎口脉法以虎口處其脉在食指外側每一節爲一關上爲風關中爲氣關下爲命關有筋脉如絲膜于肉裡男視其左女視其右觀形察色以辨病名一云左右當參驗左應心肝右應脾肺

ⓒ流珠形微如絲點主三焦熱爽霍亂吐瀉煩燥啼哭

○長珠形主寒熱腹痛或腹中有積

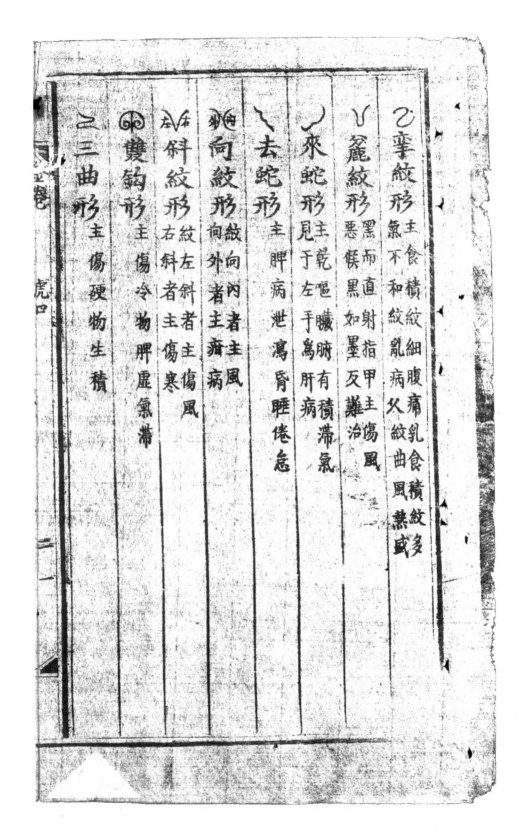

彎紋形　主食積紋細腹痛乳食積紋多氣不和紋亂病久紋曲風熱盛

麗紋形　黑而直射指甲主傷風惡候黑如墨又難治

來蛇形　主乾嘔臟腑有積滯氣見于左手為肝病

去蛇形　主脾病泄瀉昏睡倦怠

向紋形　紋向內者主風向外者主痰病

斜紋形　紋左斜者主傷風右斜者主傷寒

雙鉤形　主傷冷物脾虛氣滯

三曲形　主傷硬物生積

亂虫形主疳蛔病

鎗紋形主痰熱驚風發搐

叕雙字形主傷食毒物發驚生積

懸針形見風關主水驚見氣關主疳熱見命關主人驚多傳慢脾凶

魚刺形青色見風關主驚見氣關主虛勞

水字形見於風關主咳嗽驚風疳痰膈痰積聚

乙字形見於風氣關主肝動生驚風

曲虫形見風關主肝病疳積見氣關主大腸穢積

環紋形見風關主疳積見氣關多吐

反裏弓形主寒熱頭目昏驚悸小便赤

反外弓形主驚食風癇加紋彎曲、裏雖症重亦可治出外八甲者不治

又觀筋脉照于肉裡色紫為風紅為寒青為驚白為疳黃為脾困青黑為慢驚下掌為內釣三關通度為沉疴之症左手紅紋似線者發熱兼驚右手紅紋似線者脾積兼驚風關無脉則無病有脉病輕氣關病重命關脉紋短小而色紅黃外症又輕則無妨若直射三關青黑外候又重者死某青色或大是驚赤色大小

金卷　壽夭　二二

火飛禽驚紅色大小曲者人驚青帶黃者因雷驚或紅或青如絲直者是母傷食所致紫絲青絲或青黑絲隱隱相雜似出不出主慢脾風赤紅傷寒痘疹空紅泄瀉黑為中惡

寸口脉小兒骸骨短小氣血未定寸關尺何以分惟有一大指上下滚轉見手高骨分取寸關尺三部

大法八九至為平五六至為遲十一二至為數浮緩主傷風洪緊主傷寒急促主驚沉遲虛冷細寔有積緊且弦主風癎沉緩主乳食難消腹中脹痛緊弦牢寔大便秘沉而濇者主腹中凝寒緊數驚風主四枝掣浮洪主胃口火熱脉細主疳

積瘀損脉洪主虫咬腹痛虛脉或濡主氣逆兼驚惕失神弦而長主客忤滑脉主感夜露濕冷沉細主腹中疼痛洪而遲主煩滿伏而遲主寒嘔吐潮熱脉芤（音摳）主血痢五至虛四至病三至脫七至八至病輕九至十至病劇十一十二至死脉浮數身溫順沉細身冷逆夜啼脉微小順洪大逆吐哯脉浮大身溫順沉細身冷逆癖瘀脉緊數臟寔是順脾泄沉細逆虫痛緊滑身溫順浮大脣青逆（餘與大人同）

壽夭相

凡踰十月而生者此氣血有餘七八月而産者此氣血不足大要得於中道乃卽純粹氣血和精神全臟腑充形體壯然知之者當觀顱顖處凡未過而顱顖堅合睛黑神清口方背厚骨粗臀滿肛軟臍深莖小卵大齒細髮潤聲洪睡穩氣壯聲清形案此乃受氣得中壽之兆也書云受氣有六筋骨血肉精氣是也筋寔多力骨寔早行血寔形瘦多髮肉寔少病精寔伶俐多笑語不怕寒暑氣寔則少髮而形体肥

如二三週顖尙解開手足攣縮齒髮未生䟫如鶴節或五歲不行手細脊瘦色白形瘦氣怯聲濁或外肥裏虛面㿠白色

腹中氣響吐乳糞青此乃受氣不足夭之機也

生死症余按此症候非惟小兒大人亦當參看

一必生之症而可治也如面目俱黃而澤面黃目赤目睛光明彩潤諸熱神清安靖虛症受補能食病勢雖危太冲有脉神氣不脫顖門不陷顏色爪甲不昏暗

一必死之症不可治者如目睛無光瞳人不轉爪甲唇背俱黑啼哭無淚不哭下淚喫乳不收舌出口外汗出如珠唇不蓋齒口無津液四肢垂冷下瀉黑血口作鵶聲喉中聲嘶口

鼻乾黑手足口鼻皆冷面黑咬人鼻黑身熱氣喘不迴瞳人中暗鼻孔如煤眼眶青色脚直肚大而現青筋耳輪廓黑唇青色黑或如枯骨赤貫瞳人顱突及陷魚口舒舌不能啼哭胸陷及突吐出蛔虫身生青黑等瘢遍體不焌長噓出氣傷寒連剎無汗諸病天柱骨倒百日内外發搐愈而復作面黑神昏目白面黑或面目俱赤卒叫面青唇黑或面黑目直視手掌無紋口唇傾反人中無痕尋衣摸縫汗出不流而舌搖陰結陽結目無精華恍惚遺泄不覺牙齒黑色妄語錯亂卒

腫面蒼色黑手足膕肉爪甲俱黑熱吐目赤瀉如屋漏水按脉無根陰囊俱腫面目俱白神色枯槁面無精光不能飲食身有屍臭氣面黃目黑面赤目黑口不能閉呻吟不已病久而身有印瘡點子起髮直如麻舌腫發驚肉無血色發搐目斜唇口俱動脚面上直手如拖頭之狀身不知痛癢撮口如囊瀉糞赤黑頭汗肢冷舌青或紫腫湯水藥食入喉腹中隨有響聲久不食忽食之而倍常諸病大肉脫去目白忽如火赤後腦赤腫如鷄卵

死日期訣

耳屬腎鼻屬肺唇屬脾舌屬心目屬肝腎部見症忌戊己日

時餘倣此

五逆急症

腹脹四末清脱形泄甚一也腹脹便血脉大時絶二也咳血

溲血形肉脱脉搏三也嘔血胸滿引背脉小而疾四也咳嘔

腹脹且飧泄脉絶五也不過一時而死

五逆緩症

腹脹身熱脉大一也腸鳴而滿四肢清泄脉大二也衄而不止脉大三也咳則溲血脱形其脉小勁四也咳脱形身熱脉小以疾四也病久而沖陽太谿無應手神氣脱五也(不過十五日死)

五臟絶症

鼻乾黑燥者魚口氣急(如魚呷水之狀)啼不出聲者肺絶也如顖門腫起或作坑者虛舌出口者心絶也如腹大青筋氣不榮脾絶也如覩不轉睛者(注上)指甲黑色肝絶也如目多直視五臟俱絶也如頭毛上逆口氣冷掌心冷手足四垂其卧如縛形

絶也皆爲死症

審虚寔

凡身寒脉細二便如常者一切疾病患後者汗出不食者面色光白者此氣血衰少便糞青色者胃與大腸虚冷吐乳食者此胸胃有寒也乳食不能化者此脾虚也冬畏寒夏畏熱者此禀弱陰陽虚諸病内出者多言者纔來者濡者癢者内外諸痛按之而止者皆爲虚症凡足厥冷腹虚脹糞清吐乳眼珠青面青白脉沉微此虚症忌寒凉

凡身熱脉大二便不利者能食而悶瞀煩燥渴甚者面紅如

桃花者此裏盛外寔大便稠黃小便清利者陰陽分臟內寔夏不畏熱冬不畏寒手足溫煖者此稟氣壯表裏寔諸病外入者不言者急來者堅者痛者諸痛按之而痛甚者皆為寔症大要皮虛則熱脉虛則為肉虛則重筋虛則急骨虛則痛髓虛則惰腸虛則泄三陽寔三陰虛則汗不出三陰寔三陽虛則汗不止凡足脛熱兩腮紅大便閉小便赤渴不止上氣急脉緊數此寔症忌熱藥

病機大畧

夫小兒之病太半胎毒少半內傷乳食十分之一外感風寒然大要多因脾胃嬌嫩乳食傷積痰火結滯而成其症不一

姑舉其尤者言之乳食傷胃則嘔吐傷脾則泄瀉吐瀉既久則成慢驚或爲疳病乳食停積則生濕痰痰則生火痰火交作則爲急驚或成喉痹痰火結滯則成癎吊或爲喘嗽胎熱胎寒者禀受有病也臍風撮口者胎元有毒也鵝口口瘡者胃中濕熱也重舌木舌者脾經實火也胎驚夜啼者邪熱乘心也變蒸發熱者胎毒將散也丹毒者火行於外也蘊熱者火積於中也中悪者外邪乘也睡驚者內火動也痢者腹中食積也瘫者膈上痰結也外感發熱者鼻塞聲重也內傷發

熱者口苦舌乾也心痛者虫所齧也疝痛者寒所鬱也積有常處者有形之血也聚無定位者無形之氣也胃納脾運脾胃壯寔四體安康脾胃虛弱百病蜂起司幼科也可不以調理脾胃爲切要哉

初生調治法 該八條

開口法

一皃初生啼聲未出急用軟帛裹手指蘸甘草汁（以甘草切細少許用沸湯泡汁宜淡不宜太甘）綿拭口中去其惡血隨以胡桃肉去皮嚼極爛以綿絹包如小棗納皃口中使吮其汁非獨和平且能養臓

若母氣素寒兒青弱者只以淡鹽湯拭口最能去胃寒危吐瀉之患一法以蜜調硃砂一字能鎮心安神一方加牛黃甘草能去胎毒若啼聲一作惡血入腹終爲痘毒之患云入伏於心遇天行則熱乘心出而爲癍伏之於胃出爲瘡疹伏之於肝出爲水疱伏之於肺出爲膿疱

調藥法　一小兒生下三日用牛黃一小豆蜜調膏乳汁化服以下胎毒蓋牛黃益肝膽除熱定精神止驚悸除百病胎熱尤宜形色不寔者少服

一法用淡豆豉濃煎飲以下胎毒毒既下更能助養脾氣消

代乳食　剃頭法

一法月内以猪乳哺兒可解痘毒驚癇且無撮口臍風之患

一剃頭之日須就温煖處避風及剃之後用薄荷三葉杏仁三枚去皮尖同搗爛入生麻油三四滴膩粉拌匀在兒頭上擦之可避風邪及一切瘡疥剃頭日期宜於丑寅日吉丁未日凶一云五月七月剃頭令兒不壽

浴兒法

一浴兒要湯水冷熱得所勿令兒水驚冬久浴則傷風夏久浴則傷熱浴寺當謹護兒背蓋風寒多由此入而成癇成風

其煑湯藥金銀丹砂虎頭骨能除驚癇客忤銅鐵等器能避惡氣李楮桃

根黃連（能不生瘡丹毒）麥門荊芥鉛錫（能安心氣）桃柳梅桑槐樹等根（能除惡氣瘡毒諸惡氣辟不祥）各宜採用之

一小兒嬌嫩難任非常冷熱之藥稍有所偏風症立見故治冷當熱冷去而不熱治熱當冷熱去而不冷斯謂良醫大緊

小兒之病肝脾居多肝只有餘有餘者病氣也似重而易治脾只不足不足者元氣也似輕而難治醫者妄行攻尅滯雖暫消脾胃轉薄平肝清熱木未平而元氣愈傷薛氏諄諄補脾蓋世嬰兒之司命也

一晃在胎寺傷冷爲母所傷或生後悲啼未定便乳使冷氣蘊畜脾胃乃傷輕則嘔乳糞青重則腹中氣響逆氣潮涎治之宜燥濕溫中切不可誤加削伐若經吐瀉津液自亾雖有口渴唇焦不可寒凉誤用

經曰脾爲黃婆胃爲金翁臟腑氣血咸賴之有因變蒸唇腫頭熱誤以爲傷食而尅伐宣泄以爲胃驚而凉藥鎮心以致有傷脾胃大便青色吐利不已脾土愈虚肝盛胃冷筋攣作搐倘謂熱極生風又加凉藥不可挽回矣

作枕法

一小児宜井菊花作枕最能清頭目使無目疾　勿藥法

一小児平常無病忌服藥餌否則遇疾無效一小児面紅色蒼乃童顔外寔大便色黄稠者爲内寔泣不須服藥

斷臍法

一斷臍之法以児膝爲度用絹包咬去則無毒待七日臍帶落下取置新瓦上用炭火四圍燒存性倣臍帶五分入飛過神砂二分半爲末用生地當歸煎汁調匀抹児上腭間及乳母乳頭上一日服盡爲佳次日遺下穢悪之物終身永無瘡疹諸疾此名延生飲

初生調養法

一小兒生得六十日後則瞳子成而能笑認人切忌生人懷抱及見非常之物百日則任脉成能自反覆一百八十日則尻骨成母當令兒學坐二百四十日則掌骨成母當扶教匍匐三百日則臏骨成母當扶教兒立三百六十日則膝骨成母當扶教兒行若日捧懷抱重襲綿裘不令出見風日不令著其地氣以致筋骨緩弱數歲不行一少失訃痎病乃生此皆保育太過之罪也

一戲謔之物不可肆樂刀劒凶具無使摸提莫近猿猴則傷
意莫抱鵪雀恐傷眼男方學語勿令揮霍坐勿令久令腰似
折行勿令早筋骨柔弱雷鳴擊鼓莫令掩耳睡卧得節須令
早起飲食勿過衣勿重襲常食羹蔬休哺美味與甘肥酸冷
姜蒜瓜菓油膩生茄切勿過食食甜成疳食飽傷氣食酸損
心食冷成積食苦耗神食鹹閉氣食辣傷肺食肥生痰故凡
小兒切忌食肉太早否則脾胃乃傷食葱韭薤蒜則令心氣
鬱結水竇不通三焦虛熱神情昏昧食飛禽鳥雀則生瘡癬

霧痳燥渴煩悶食螺螄螃蜆蝦蟹則腸胃不禁或泄或痢過食鵝肉則生蛇虫

一小兒食物最宜淡薄則脾胃克消百脉得潤臟腑氣清如芡實蓮子能通心氣石榴與柑大滋腸胃乾柿煮糕尤能益肺羔羸吹荳於肝有利五味惟棗脾家有意　病忌

一心病忌食鹹鹵肺病忌焦苦肝病忌辛辣脾病忌酸味腎病忌甘甜又如肥膩鵞鴨魚蝦油醋腥羶美盞肺病切忌

驗病　一如肝病必好酸心好苦脾好甘肺好辛腎好鹹之

類以知病在也如内熱者必好寒内寒者必好熱如下欬寒

下欬熱者此必有虛火升降也　客忌

一小兒宜忌客一臘恐客氣所觸致有客忤發熱等候又宜

忌入廟宇者恐神情悶爍致生怖畏更有令兒佩眞降香以

辟諸邪惡之氣　忌浴

一凡一週之内適處嬌嫩筋血未固謂之芽兒切忌洗浴以

致濕熱之氣鬱聚不散身生赤瘄丹毒如烟脂塗染腫而壯

熱毒一入腹必致喪兒更有洗後包裹失護風邪所傷以致

身生白𤷿腫而壯熱憎寒鼻塞腦悶痰喘咳逆故兒切忌顖者

一當春夏月間宜令卧地使之不逆生長之氣如遇秋冬宜就溫煖使之不逆收藏之氣又房門當援劒倚門令兒不驚

一凡乳母每日須令摸兒項後風池若壯熱者當即熨之使微汗出即愈

一凡在春天勿令與護頂裹足以致陽氣不舒因多發熱即至年長下體勿令過煖蓋。十六歲前血氣方至如日方升惟陰常不足耳蓋下體主陰得清凉則陰易長過溫煖則

乳忌

陰暗消曲禮云童子不衣裘裳

一小兒不可就瓢及缾中飲水否則令兒言語多訥

一夫人以脾胃為主故乳哺須有調節一有損傷則百病叢生故不可日置地間令肚著地以致脾家受寒腹痛泄瀉至如乳母尤宜謹慎如當暑熱氣乳母浴後不可乳兒能成胃毒秋為赤白痢或濕熱之氣流入心脾輕則乃生瘡疥兒啼後勿便乳蓋氣逆不順乳則聚而為逆變成驚風不可乳兒太過過飽則溢導虛胃氣變為嘔吐治之勿作胃寒宜先清乳凡宿乳須

捏去棄乳須沃東壁為佳若投於地虫蟻食之令乳勿汁夏忌熱乳生嘔逆冬忌冷乳生咳痢食後不可與乳乳後不可與食蓋脾胃弱並進難於消化初得成積久得成癖成痞喜乳與兒則瘀喘成驚癲狂上氣怒乳與兒則男生疝氣女生腹脹寒乳與兒則便青而啼獼片不化亦令咳嗽熱乳與兒則嘔吐面黃不食又傷損脾氣令成昆背氣乳與兒則面色黃白泄瀉腹脹乳啼歲少夜啼哯乳病乳與兒能生諸疾黃瘦骨蒸夜啼盜汗虛羸醉乳與兒則恍惚多驚腹急而痛身熱若母方吐乳兒則成虛羸醉飽乳兒則煩悶之氣

流入乳中令兒熱邪傷心驚悸抽掣而成天釣淫佚情亂乳兒則吐瀉身熱啼叫必發驚癇如鴉聲者不治

一小兒出胎不吮乳者有三一因母取冷過度胎中受寒腹痛二因胎受熱毒令兒生下身體俱黃小便赤色身熱便閉多啼不乳三因出胎惡穢入腹以致腹滿氣短

一小兒宜寒溫得中過寒則氣滯而血凝泣過熱則腠泄易致風寒故脱衣不可當風又宜於無風日煖之際抱出遊戲如陰地草木不見風日未有堅持者

一五臟俞穴皆係於背肺臟嬌嫩風寒一感是以毫毛畢豎皮膚閉而為病咳嗽喘嘔壯熱憎寒故兒最要背煖肚者脾胃處也胃為水穀之海脾為健運之司冷則物不腐化多致腸鳴腹痛嘔吐泄瀉故兒更要肚煖足係陽明胃脉所絡故曰寒從下起故兒尤要足煖頭者六陽所會諸陽所湊也況腦為髓海凉則堅凝熱則流溢或顖顱腫起頭縫開解目疾頭瘡故頭宜凉心屬離火若外有客熱則內動心火表裏合熱輕則口乾舌燥腮紅面赤重則啼叫驚搐多燥渴煩故心

胸宜凉

一児初生三五日宜繃縛令卧勿竪頭抱出六箇月方可與稀粥忌與乳同喫五歲方可喫葷腥

一書云忍三分寒喫七分飽頻揉肚少洗澡喫熱喫軟喫少則不病喫冷喫硬喫多則生病

一養子十法一要背煖二要肚煖三要足煖四要頭凉五要心胸凉六要勿見異物七要脾胃常温八要啼未定勿便飲乳九要勿輕服輕粉硃砂十要少洗浴一云要知顖落乘凉便成臍風不忌出入

嬰拗則爲客忤噤口驚啼乳食重脹則吐瀉痰厥過煖則口舌瘡瘍過凉則臟寒鈎氣調理之法適中而已

不能啼

一生下不能啼者必因難產胃寒所致急以綿絮包抱懷中未可遽斷臍帶且將胞衣置灰火中煨之仍作火油紙燃燈於臍帶上往來遶帶燎之蓋帶連兒臍得火氣由臍而入更以熱醋湯繞洗臍帶須臾氣回啼哭如常方可沐浴方斷臍帶

腎縮

一腎縮者乃初生受寒用硫黃吳茱萸各五為末研大蒜汁澄

塗腹上仍以蛇床子燒烟薰之

魚泡

一兒生下遍身如魚泡者瑩若水晶碎則成水流滲者乃胎受寒濕也用蜜陀僧為末摻之仍服蘇合香丸三百十若遍身黄腫眼閉呻吟腹脹者緣母懷胎之時服寒凉尅削之藥太過也

無皮

一兒生下遍身無皮俱是紅肉者乃脾氣不足也用早米粉

撲之生皮方止

懸癰

一生下即死者宜急看兒口中懸癰前腭上有泡以手指摘破用帛拭血令淨若血入喉即死

穀道無孔

一初生穀道無孔者乃肺熱閉於肛門急用金銀玉簪看其端的處刺穿或用火針刺不可深以簽導法（百四十六）套住緊急惟以油紙撚套住內服四順清涼飲（當歸 大黃 白芍 甘草等分煎服）免其再合

不尿

一初生不尿者因胎寺母食酒糟熱毒入胎是以生下肚腹膨脹臍腎皆腫若見臍四旁色見青黑及口撮者皆死候也如止不尿面不殷紅者更有二便不通腹脹欲絶此因竅塞氣凝不可與導塞行竅宜令母含温水吸兒六心并及臍下以紅赤為度須臾自通此疏通導塞之舉也

胎瘦一云胎怯

一胎瘦怯面黄白睛多喜哭身凉肉薄大便色白屬肺宜預服鹿茸丸此非育於父母之暮年即生於産多之孕婦或於之

隣元精虧已澆漓受胎之後氣血復難長養故面無精彩身
無血色目無精彩寺寺哽氣多噦若後天調理得宜十可保
其一二調元散最宜
長生凡　一依枳殼
檳榔一月　半夏五分　枳實一兩　木香五分
砂仁二分　肉荳蔻二分　全蝎十枚　丁香二分
爲末飯凡黍米大每五十凡乳汁下能寬上寬下補脾化
痰止瀉

調元散

山藥　茯苓　橘紅　人參

白朮　當歸　甘草炙　枸杞各二

陳冬米三合　爲末每用龍眼湯下

胎肥

一胎肥乃遍身臟厚血紅面紅黑睛多﨔﨔生痰月後漸漸

臟瘦五心熱大便難﨔﨔生涎目白睛紅色者此因在母腹

中母食甘肥濕熱太過流入胞中以致形質虚肥血分壅熱

宜內服大連翹飲加減調服外以浴体法浴之

大連翹飲

連翹 瞿麥穗 滑石 牛蒡子

車前子 木通 防風 梔子

黄芩 荊芥穗 當歸 柴胡

赤芍 甘草 蟬蛻

竹葉十片燈心十莖水煎服

浴體法

天麻二ㄅ　全蝎去毒　硃砂各五分　烏蛇肉酒浸
白礬　青黛ㄅ各三　麝香一分
共研勻水三碗八藥三錢桃枝一握同煎至十沸溫熱洛
之一云勿洗背一云胎肥亦可

胎寒

一胎寒者在胎母受寒邪或過食生冷所致必腹痛腸鳴便青下利寒慄時發握拳曲足失治則成盤腸溏泄口噤慢驚矣若胎寒氣痛不已木香磨水調乳香沒藥服之或母平素

稟氣寒凉兒在胎中得之生下面色青四肢冷小便不禁與諸前症治宜溫熱之劑主之其藥宜大劑令乳母同服得病於內治之不離母氣則藥易應

白芍藥湯　治胎寒腹痛

白芍一錢　澤瀉八分　甘草四分　薄桂三分

姜水煎服如誤汗誤下後加人參木香發驚加鈎藤

助胃膏　治胎寒內鈎胃氣虛弱腹脇脹滿哯乳便青

白荳蔻　肉荳蔻麵裹煨去油　人參　木香各五錢

丁香三錢　藿香葉　茯苓　白朮

砂仁　桂　甘草叒各一兩　陳皮二兩

沉香二ク　山藥二兩　為末蜜丸芡實大每服一丸炒米湯送下

木香匀氣散治生後身冷口氣亦冷腸鳴瀉痢青黑盤腸內鈞心腹絞痛不語者

白姜　木香　官桂　陳皮

檳榔　甘草各等分

嘔加木瓜丁香面青肢冷去檳榔加川芎當歸水煎量兒

大小以綿蘸之

胎熱

一胎熱者兒在胎時母過食熱毒之物或服熱藥或嗜酒房事不節或感冐風熱胎中積受熱邪生下面赤眼閉五心煩熱口熱如湯食乳性急大便黃赤眼赤瘦損或多虛痰時時啼哭身發壯熱色如淡茶或遍體皆黃氣息喘滿眼目眵淚神困呵欠呃呃作聲兩便不利或利而便血水甚至手常拳緊脚常搐縮眼常斜視身常掣跳失治重則發驚輕則鵞口重舌紫赤丹瘤宜先釀乳次第解之以漸不可過用寒凉變生吐利惡症

釀乳法 母子同服

猪苓 赤茯苓 天花粉 澤瀉

茵陳 山梔去殼 生甘草 生地

水煎服

甘豆湯 治嬰孩胎熱

甘草一錢 黑豆二錢 淡竹葉 燈心七莖煎服

硃砂散 治胎熱有痰

硃砂 牛黃 天竺黃 鉄粉各一分

麝香五厘　爲末竹瀝調服

胎黃

一胎黃者兒在胎中受母熱毒生下遍身俱黃發壯熱大便閉尿如梔汁乳食不進啼叫不已宜服釀乳生地黃湯最忌熱毒之物　又有皮膚面目皆黃此黃病也如身痛膊背強大小便澁指甲皆黃身面目亦黃小便如屋塵色看物皆黃此黃疸也渴者難治此二者多得於大病後又有生下半週或百日不因病後而身微黃者此胃熱也

又有面黃而腹大多積食土而渴者此脾癖也

又有生下而身黃者此胎疸也然諸疸皆熱色深黃者是也

若淡黃兼白者必胃怯或胃不和也

釀乳生地黃湯

生地　赤芍　天花粉　川芎

歸身　猪苓　澤瀉　赤茯苓

甘草　茵陳各等分　水煎服

犀角散治嬰兒黃疸一身盡黃

犀角　茵陳　瓜蔞根　升麻
龍胆　甘草　生地　寒水石煨
水煎服
身如塗丹
一晛生下者遍身如丹塗蓋因胎前多食熱毒以致熱鬱故
也宜用鬱金散
鬱金散
鬱金　桔梗　甘草　天花粉

葛根各等分為末薄荷煎湯入蜜調服五分後用藍葉
浮萍水苔同研絞汁調朴硝土硃塗赤處
一又生下肌肉紅白二臈後遍身面目小便皆黃大便不通
謂之血疸此因母受濕熱或衣被太煖所致宜四物湯百八九
加天花粉等分煎服兼以黃栢煎湯洗之
眼閉附赤眼血眼
一初生眼閉者因母過食熱毒之物使兒五臟蘊熱於内者
也故蓋明而眼閉是禀精氣不足也

一胎赤眼者因初生洗浴不潔穢汁浸眼簫中使臉亦赤爛
至長不瘥名胎赤眼宜勿食毒物内服清解外煎洗净可也
一有血眼者因見將分降胞囊已破其見既降血即送下瘀
壓目眦重則貫瀆其睛不見瞳人輕則外胞腫赤上下弦爛
若投凉藥必寒臟腑當用生地黄湯流行氣血如紅赤者以
熊胆點之

山茵陳湯 治眼閉用此 嬭乳

茵陳葉　澤左　瓜蔞根　猪苓

生甘草　生地黄

水煎令母食後服凡服二三劑且捏去舊乳第二服後却令兒飲

眞金散 治胎赤眼

黄連　黄栢　當歸　赤芍

杏仁　用乳汁浸一夜晒乾爲極細末用生地黄汁調一字頻頻點眼更用荊芥煎湯寺寺洗淨

生地黄湯 治初生見眼不開竝血眼

生地　赤芍　川芎　當歸

瓜蔞根　甘草錢一　爲細末用少許以燈心湯調

辟塵膏治塵埃入目揩成癃熱作痛啼哭

右以油煙細墨新汲水濃磨入玄明粉半錢和勻爲膏

用筆點目內四五次忌酒熱物

鬪睛

一因失誤築打觸著頭面額角兼或倒撲令兒肝受驚風邊

使兩目鬪睛或太陽受寒筋寒則攣故兩眦牽引逆急爲鬪

睛也

牛黃膏 治被驚鬭睛諸症

牛黃五厘 白附子炮 肉桂去皮 全蝎去毒

川芎 藿香葉 白芷 辰砂水飛各一分

麝香少許 為末蜜丸芡實大箔荷煎湯食後化服

鎖肛

一鎖肛者由兒在胎中母食諸熱令兒熱毒壅盛於內結於

肛門閉而不通若至三日不通急令其母溫水漱口吸兒前

後六心关及臍下紅赤爲度如再不通必是肛門内合當用物件透之金鈚爲上玊簪次之須刺八二寸許次将蘇合香凡綱於孔中内用蜜凡輕粉五分温水化服以糞出爲快若腹肚膨脹不能乳食作呻吟聲至於一七日難可生矣

嗁哭無聲

一小兒初生聲清響喨神怡睡穩者此禀賦充寔心腎不虧水火既濟者也若發聲不出欝又而爲呃又而作上下氣不感相乗者此胎氣不足雖日投藥餌亦無益耳惟有熱傷風而

音啞者非關胎元亦宜急治久則金水並傷肺爲聲音之户腎爲聲音之根子母俱困矣

哯乳

一哯乳者有因寒熱不調停留胸膈結聚成痰者有因過冷過飽者有因哺後即乳乃成食癖等症者亦有胃溢多次導虛胃氣者然久哯不已則神困氣怯漸虛成癇宜分寒熱虛寔以治之

燕瘀症

一噤瘀是因産際艱難生下沉迟以致胃寒瘀血噤下其候四肢寒慓啼聲不出面臉青紫舌上白胎牙關緊急手足拘攣頻嚱多啼者是也宜用淡豆豉葱頭之類温胃踈觧爲主若日久不痊乳噎不下手足時搐者死

鬼胎

一鬼胎者因父精不足母氣衰羸護養不調神虚氣怯有七八月而生或過十月而産所言鬼者即胎氣怯弱榮衛不充瘦削猥衰禀賦不足恒多夭死謂耳豈言納鬼氣成胎耶聞

有形雖不足而筋骨堅強者得善乳哺亦有成人

白虎症

一白虎者如太歲在巳白虎在辰太歲在申白虎在未餘皆倣此類推神在其方不知禁忌出入稍犯便能爲病身發微熱有寺小冷屈指如數手足不爽瘲者是也宜集香散

集香散

降眞香　沉香　乳香　桜香

人参　安息香　茯神　甘草

棗仁　水煎入麝香半字調服其藥濟房内之

痓病

一痓病者或因胎中所受或因旣生怙恃不節所致卒發爲厥類似中惡中風驚風等症痰潮項反臉色如藍口沫譫妄漸至面臉枯澁如大人傳尸之患若見面色藍黑偏搐額青齒噤唇眼俱顫滿頭赤腫者不治

中惡

一中惡者卒然手足厥冷頭面青色錯言妄語多恐見鬼口

噤牙緊心腹刺痛悶亂欲死者是也其脉緊細而微者可治緊大而浮者必危更有卒死者亦中惡類也凡人志弱心怯則精神失守乘年之衰逢月之空失旹之和謂之三虛忤逆邪惡賊風等邪乘虛而入致令陰氣偏竭於內陽氣阻隔於外二氣壅閟不得升降心腹暴痛陽氣散亂而不知人氣若還則復生氣不還則卒死宜用至寶丹主之

至寶丹 治卒中惡客忤諸痛急驚

安息香一兩五分為末用無灰酒飛過濾去砂石約取一兩漫火熬成膏入藥

琥珀研　雄黃研水飛　生玳瑁屑　硃砂各一兩

銀箔五十片　龍腦　麝香二錢半　生烏犀角一兩

牛黃五錢各研　金箔五十片一半爲衣一半入藥

用生犀玳瑁爲極細末勻入餘藥將安息香膏重湯溶化

溲和爲劑如乾加蜜爲丸芡寔大參湯化下

物觸致病

一小兒所愛之物強奪取之則令怒生神隨物散不食不言

神昏如醉四肢垂嚲有若諸惡症候莫知所以故須詢其父

母遂其所欲以藥調理寧神自安也宜用沉香順氣散主之

沉香順氣散 治物觸

沉香　茯神　蘇葉　人參

甘草 炙各等分　為細末用紫蘇梗煎湯調服

夜啼　別症

一小兒夜啼其症面青手足俱冷不思乳食至夜郎啼百計安之不能止此是胎寒之症蓋夜屬陰陰勝則脾臟之寒愈盛脾為至陰喜煖而惡寒寒則腹中作痛故曲腰而啼此由

臟寒而發也宜鈎藤飲十若寒甚則理中凡十二百六
一云心經受熱蓋心爲君火主乎血夜則血歸于肝心虛火
熾故煩燥不寧而多啼也
一云初生月內多啼者吉凫哭即歆之義也胎熱胎驚胎毒得
散且無奇疾此亦不至其甚者方聽自然
一腑胎熱伏心陰則與陽相刑熱則與陽相合夜則陽衰陰
乃與陽相搏臟氣相擊故作痛而夜啼其候唇紅面赤恍惚
壯熱小便色赤手足搖動咂口弄舌增熱燥悶重則胸突頭

反也

一有因胎驚而啼者其候必一啼若絶而面紫手足厥冷乍醒乍啼然身體温凉大便青緑者陰也若身體發熱精神不清睡中驚啼二便黄者陽也若身熱而便青白或身凉而便赤黄者半陰半陽也

一啼寺口多涎沫腰曲拘攣面青瀉青者寒痰内釣也

一啼寺多搐手足張惶緊抱父母四顧怖懸者此必因視非常之物及客忤耳

一若目有所覩而驚啼者此必邪祟所侵其候虎口無紋面色變易不常大要啼而不哭是痛也故直聲往來而無淚哭而不啼是驚故聲不絶而多淚也有痰熱者多上半夜仰身有汗而啼面赤心燥小便赤澁口中與腹背皆熱下半夜曲腰而啼必虛寒也

處方

如曲腰啼叫哭而無淚者多係腹痛木香匀氣散二十温胃飲百二五加木香如脾腎寒甚而氣滯作痛者陳氏十二味異功散百十四如過用乳食停滯作痛邪寔無虛而啼者保和湯百十

五和胃飲百六十加烕主之甚者宜消食凡百七十
如陰盛陽衰心氣不足至夜則神又不安而啼叫者四君子
湯百八八五味異功散百八十七福飲百九十秘旨安神凡百十二
如面青手冷陽氣虛寒心神驚怯而啼者五君子煎百一二六
味異功煎百二二甚者七福飲百七十加乾薑肉桂兼泄瀉不乱
脾腎虛弱六神散百三二甚者養中煎五五胃關煎百四二兼吐瀉
少食脾胃虛寒者五君子煎百一二溫胃飲百五二或六味異功
煎百二二加炮木香

如面色白黑睛少至夜分陰中陽虛而啼者此肝腎不足也宜六味凡（百八六）八味凡（百八七）理陰煎（百二六）

如見燈火愈啼者心熱也心屬火見火則煩熱內生兩陽相搏故仰身而啼其症面赤手腹俱煖口中氣熱是也火之微者宜生脉散（百二七）火之甚者宜硃砂安神凡（百二八）人參黃連散（百二九）

如肝胆熱甚木火相搏者柴胡清肝散（百三十）

如因吐瀉內亡津液或稟賦腎陰不足不能滋養肝木或乳母恚怒肝火侮金皆用六君子湯（百三一）補脾土以生肺金地

黄丸百八六壯腎水以生肝木

如乳母鬱悶而致者加味歸脾湯百三二暴怒致者加味小柴胡湯百三三乳母心肝熱摶者柴胡清肝飲百三四

若月內夜啼驚惕抽掣者乃胎中受驚所致宜猪乳膏或保命丹百三五金箔鎮心丸見五癎門

如大便不化食少腹脹脾氣虛弱也五味異功散或五君煎加木香

猪乳膏

琥珀　防風各一分　硃砂五分

爲末用猪乳汁調一字抹兒口中

若尋常邪熱夜啼者用燈花二顆爲末燈心煎湯調抹兒口中以乳汁送下日二服

若夜啼氣虛者四君子湯百八八加山藥扁豆熱加黃連竹葉

血虛夜啼者用當歸爲末乳汁調服若氣血俱虛腹痛夜啼者用黃芪當歸赤芍木香甘草等分爲末挑少許著乳頭上使吮乳服之

若胎寒及衣被過凉以致臟寒盤腸內鉤肚腹脹痛啼則眼上視手足搐掣蓋夜則陰盛寒則作痛甚則陰盛發燥所以

夜啼宜保命丹百三五輕者益黄散百三六外以麥麩音夫小麥皮也炒熨之凡下半夜曲腰而啼面目青白捫腹覺冷必胃寒腹痛也。若傷乳食而痛者消食丸百十七若欲飲乳到口便啼身額皆熱者看其口若無瘡刺必候舌腫痛宜朮梅丸百三七薄荷煎湯治之

若因驚風邪而啼者二活散

羌活　獨活各二分　檳榔　天麻

麻黄　甘草各一分

水煎服或加南星為末蜜調可粘顖門

萬金散　治臟寒、夜啼

當歸　沉香　丁香　白朮

人參　乳香　五味　肉桂

赤芍　水煎食後服　一方有茴香甘草

一方治心經蘊熱夜啼

麥冬　生地各一分　車前六分　遠志七分

茯神七分　鈎藤　木通各五分　甘草三分

加燈心水煎服

蟬蛻花散 治嬰孩夜啼不止狀若鬼祟
蟬蛻用下半截七个蓋上半截能令夜啼爲末莕荷湯入酒少許調服

花火膏
燈花七个　硃砂一字　研細末蜜調傒皃睡抹脣口

胎驚
一皃在母腹中母或忿怒驚悸有傷於心心主血脉應之於胎出胎寺皃必精神不爽面色慮白其候初發温熱後乃煩赤多驚物動卽恐聲響卽悸咬牙顋赤四肢拘攣寺搐煩悶

一啼氣絶遍身皆紫時復厥冷或印堂青色壯熱哯乳睡中多驚手足微掣十指如數身體強直眼目多反拳握翻睛面青驚啼涎潮嘔吐顖開腮縮口吐涎沫牙噤口撮臍腹腫突額見青筋面腫腹脹此極惡候難其調理凡見既有胎驚便宜早治若至已成風候勢必難治若眉間紅赤鮮碧與虎口指紋曲入裡猶可治若眉間暗黑青碧虎口紋向外印堂浮紫痰涎吐沫搐搦不寺者皆爲惡候更有頭面生瘡大如拳者此名驚氣須當破之而後合之勿傳毒藥否則壞臟傷體

毒潰深而害愈深若脚上生瘡如爛宂者預知皃壽不滿五年

至聖保命丹 治胎驚眼竄手足抽掣急慢驚風

全蝎十四个去毒 防風 天麻 白附炮

蟬蛻 南星 殭蠶各五分 硃砂一分水飛另研

麝香五分 金箔十片

爲末以粳米飯爲丸芡寔大每服一丸萡荷湯下

一方 治小兒在胎中受驚故未滿月而發驚

硃砂 牛黃 麝香各少許

爲細末取猪乳調服

青金丸 化痰延鎮驚邪并解胎熱

人參　天麻煨　茯神　白附炮

胆星炒各二分　甘草炙一分五分　青黛二分　硃砂水飛五分

麝香一分　爲細末蜜丸桐子大用鈎藤煎湯化服

胎癇

一　胎癇者因胎中受驚或因食毒所感其候身熱面青手足搐掣牙關緊急腰直身強睛邪目閉多啼不乳纔愈頻發者

是也然與胎驚名異而寔類治法並宜參看

定風膏

全蝎頭尾全者四十九箇去毒每箇用生薄荷葉之用絲縛定火上炙燥研爲末入珠砂麝香各少許爲末蜜丸桐子大鈎藤煎湯研化食遠服

胎風

一兒在胎時因母嗜欲忿怒驚撲或七情內傷或呼喚聲高兒之心神驚動兼外挾風邪傷胎子秉母氣生下卽病嘔吐

搐掣口眼喎斜驚啼聲短腮縮顋開或頰赤或面青口
牙眼合潮涎筋骨拘挛身體直強臍腹腫起痰壅壯熱與噤
撮同症但胎風合眼與慢脾異不可妄用溫藥視眉間氣色
紅紫赤鮮碧男握外女握內為順可治若青黯黑逆握或偏
搐身冷而軟角弓反張面青唇戰者皆為不治可治者宜解
散風邪利驚化涎

天麻凡 治胎風

天麻　半夏　姜活　胆星

殭蠶　全蝎　防風

等分爲末麵糊丸芡寔大硃砂爲衣葯藤煎湯下

太乙散

天漿子　南星　白附　天麻

防風　茯苓各二錢　全蝎　硃砂各一錢

麝香少許　爲末每五分乳汁化下

臍風

一臍風因斷臍後爲尿乳所湿風冷入臍流於心脾所致其

癰腫突腹脹滿若日夜多啼不能飲乳甚則發搐嘬口噤口是爲內搐不治凡臍邊青黑爪甲青黑者俱死與啼叫不止臍邊青黑弩出胸翻項軟乳不通喉四肢皆厥寒噎涎生口乾內搐握拳噤口尤爲死候

如熱在胸堂伸引弩氣亦令臍腫若臍中不乾常出黃水者傷臍耳宜藥摻之以六一散摻之或綿灰或枯礬末摻之即愈須看上腭如有白泡點子須用銀針輕輕拭破若有血出者可愈然最危候十難一二宜預用軟綿包指頻拭口中牙根之上有筋兩條便

將竹刀輕又剖斷以猪乳點之又宜察臍上一有赤脉直上卽於赤脉盡頭處以艾灸三壯此皆預防良法也凡俱有死症宜大利驚丸百八三主之或噤口條吹鼻法有嚏可治甚者金烏散

吹鼻法

蜈蚣一條　蝎梢四个　殭蠶七个　瞿麥五分

為末每一字吹鼻中有嚏可治仍用薄荷煎湯調服

金烏散

金頭蜈蚣半條　烏尖三丁　生麝香少許

爲末每半字金銀煎湯調服或外科賽命丹三百九一捻金四百十俱妙

如風搐稍定多啼煩燥者大溫驚丸四百一如熱在胸堂引伸弩氣亦令臍腫千金龍膽湯四百二小涼驚丸四百三

洗臍腫法

用荊芥煎湯洗淨後以葱葉火上炙過候冷指甲刮薄貼腫處次日便消方服通心飲

通心飲

木通　連翹　瞿麥　山梔

黃芩　甘草各三分　燈心　麥門各少許

水煎服能通心氣利小便退潮熱分水穀

急救湯治臍風

猴猻糞山中者良不拘多少煎湯煨之家畜者不用

二豆散治臍癧突

赤小豆　淡豆豉　天南星去皮臍

白歛各一錢

用芭蕉自然汁調敷臍四旁得小便自下即愈

通用安臍法 治臍中血水汁出或赤腫痛

當歸爲末或白石脂末蝦蟇灰冲頭髮燒灰皆可敷之

凡小児落胎寺視其臍軟者無臍風也如臍硬直者定有臍風急用銀針於臍根旁刺破一二處入射香末少許灸三炷最妙

龍骨散

龍骨[illegible]一　輕粉五分　黃連一ツ　白礬煆五分

爲末乾摻臍中

又方用大紅羊絨燒灰爲末單敷之效

撮口

一撮口者因胎受風熱初生又感風邪入臍流毒心脾而致也然胎風臍風等症皆令氣促舌彊撮口　如囊而不乳病源相類候亦相同其症發則面目黃赤撮口不乳氣促喘急眼閉口噤啼聲如鴉或聲不能出舌強唇青或舌上如粟或

口吐白沫甚者舌強面青腹脹青筋吊膈牽痛百日內病甚
者多不治與口出白沫四肢氷冷一七日見之必死
景岳云臍風撮口總歸一病未有臍風而不撮口未有撮口
而不臍風也患此九死一生蓋臍命根也臍爲風所入命根絕
矣二症皆屬心脾經也開口屬心閉口屬脾風入于臍先流
于脾由脾而上傳于心心爲客邪所客故口不能開而頻撮
若發搐者風使之也究其病之所由有內因外因之異蓋臍
帶係于胞必於所生之時其母先感邪氣遺于兒謂之胎風

其驚搐者謂之胎驚此病從內因也因斷臍之後包褁失于周密被窩風入水濕風邪所侵未及六七日而臍帶已脫必成此症此病從外因也至於治法痰盛者當先治痰火盛者當先清火無火無痰當溫補脾胃

一云小兒初生其氣尚盛且有病則病當之凡見有惡症反矣其臍徒苦之耳竟無所益欲求一生於萬死之中惟下之而已

凡斷臍不盈尺多患此者齒齦有泡如粟以綿褁指蘸溫水

擦破口即開不用藥 七日內患此者百無一生

凡因束縛不謹或因牽動風入臍中或因鐵器斷臍冷氣傳于脾絡以致此症者急掐（苦洽切音隔 爪刺之貌也）破去其毒水以艾灸臍中亦有一得生者治法多端無如灸法

若因乳母肝脾鬱怒或飲食生冷辛熱致兒患者當治其母

如撮口因於浴後拭臍風邪所入而作宜益黄散補之（百三六）視牙齦有泡擦破之口即開用白殭蠶畧烘為末塗口內

凡小兒百日內臍風馬牙當作胎毒瀉足陽明之火用針挑

破以桑樹白汁塗之

一方用天南星爲末加片腦少許以指蘸姜汁擦牙齦立開

又方以牛黄調竹瀝服一字隨以猪乳滴於口中如撮口聚

面飲乳有妨用殭蠶二枚畧炒爲末蜜調敷唇中或大利驚

凡百三八或蝎稍散

蝎稍散治一切胎風及百日內臍風如胎虚冷者加川烏熱者另用神砂膏

蝎稍四十九个每个用生薄荷葉捲定以綿縛之堝內滚炒薄荷乾酥爲度

每八殭蠶四十九个　片腦　麝香　各少許

各爲末用雄鷄肝二片煎湯調服如撮口氣不和者則見
氣急宜保命丹百三五益黄散百三六主之
神砂殭蠶散　治撮口兼治臍風鎻腹
神砂水飛五分　眞殭蠶炒一ク　天竺黄五分　珍珠三分
麝香一ク　各散末每用少許蜜調塗口令自嚥
龍胆湯　治撮口兼治胎驚壯熱臍風
龍胆　鈎藤　柴胡　黄芩炒
甘草　赤芍　桔梗　茯苓各五分

大黄（紙裹煨 一分） 棗水煎（古方有蝶蝓二枚去桔梗）

一方（治撮口） 牛黄一分研竹瀝調勻滴入口中

又方蝎虎一个裝甆內用硃砂細末亦入甆內封口月餘令食砂取出其身赤色陰乾爲末每服一二分酒下

又方穿山甲（用尾上甲三片羊油炙黄色） 蝎稍七个共爲細末人乳汁調塗乳上令兒吮之用厚衣包裹須臾汗出即愈

禁口

一噤口者因胎受熱毒流入心脾既生又爲風邪侵襲而乍

其症眼閉口噤啼聲漸小而不乳舌上聚肉如粟米口吐白沫色赤鼻黄二便皆通如見逆搐噤口臍內流血不止則死

凡兒生七朝見此症者危百日內見此症手足蹻者亦不治故初生須防三疾口噤撮口臍風而口噤尤甚若過一臘方免此厄故畧見牙關緊急不便喫乳啼聲漸小口吐涎沫即急治之觀看口舌如法然後服藥

一看口舌見上腭有白泡子用指甲輕又刮破以京墨塗之若口開有物如蝎牛或似黄頭白虫者宜內服竹瀝牛黄之

類如熱毒流入心脾故形見喉舌或生下復為風邪搏之所致宜瀉黃散一二百珠銀凡四五

一初生口噤不開不飲乳者用金頭赤足蜈蚣鱔炙焦為末每五分以猪乳汁二合調勻分三四次灌之或竹瀝調牛黃一字灌之更以猪胆汁點口中

噤口與撮口臍風同一重因裏氣鬱閉宜先用控痰散以吐痰

控痰散

蠍稍 銅青 硃砂各一錢 膩粉一字

麝香許

為末每一字茶湯調服或甘草煎湯探吐尤穩却以豬膽汁點口中即瘥次用調補胃氣以入參養胃湯七百四去茯苓半夏加木香蘊子與乳母同服再用神砂膏八百四利驚

即愈與吹鼻法見前臍風條

保生湯 治噤口兼治臍風鎖肛

防風七分　枳殼炒五分　橘皮四分　茯神三分

荊穗三分　遠志四分　南星姜炒五分　桔梗三分

甘草二分　加燈心煎服

定命散 治噤口不乳

蟬蛻去觜脚二七枚　全蝎去毒七枚　爲末入輕粉少許和匀乳汁調服

天釣 有曰釣又曰吊錦囊以服上視述而名之景岳曰兩目上竄起而不能搭也醫學云如魚鈎之狀故名天釣

一天釣者爲惡鬼之氣所中屬陽其症面白帶青或如土色或爪甲青藍目睛上視而翻騰壯熱驚搐手足抽掣身冷如氷或啼或哭喜怒不常似乎驚風此因胎氣不足精神失守

虛之所在邪必湊之心虛則神走肺虛則魄亂肝虛則魂亡
脾虛則意擾腎虛則神乏而鬼邪得以犯之矣
一云由乳母醉酒嗜欲過度煩毒之氣入乳透使心肺生熱
痰壅氣滯不得宣通加之外挾風邪內熱不得外越具諸顛症與
驚悸壯熱唇多焦燥如祟之狀其脉浮寔而洪大初發之時
必頻叉呵欠可驗也其症屬陽治宜解利風熱可愈
一云乳母酒食煎炒鹹酸過度毒氣入乳熱痰鬱滯加之風
邪觸動目直身強如魚上釣之狀宜鈎藤散熱勝者保命丹

三百五 痰盛者抱龍丸見驚門 熱痰者滾痰丸五百五 夾積受驚肚熱曉
硬睡中腹內跳動宜寬熱飲百十五 泄下惡臭然後與調和中
胃之藥治之此等不可誤作驚風

鈎藤散

人參　犀角　鈎藤各五分　全蝎

天麻各二分　甘草一分　水煎溫服

天竺黃散 治天釣目睛吊上四肢瘈瘲

天竺黃　甘草炙　臘茶各二分　全蝎生薄荷葉包炙七個

芥穗炒五分　菉豆四十粒半炒半生　白礬煅五分　雄黃水飛五分

爲末人參湯調服如煩赤者薄荷湯調治

內釣

一內釣症原因於寒邪壅結兼驚風而得之其症腹痛多啼唇黑囊腫囊青汗出咬乳流涎傴僂反張目瞪虎口脉紋入掌眼內有紅筋瘢血有類驚候然亦有陰陽之分陰者起於吐哯之後胃氣虛弱精神昏憒噯唾不寧手足瘈瘲啼叫沉困陽者起於身體發熱驚悸大哭精神恍惚或睡或醒涎鳴

氣粗手足潮搐驚鈞啼叫書曰天鈞屬陽內鈞屬陰總之皆非陽症二症乃陰中之陽耳

治法不外溫臟鎮驚順氣化痰而已虫痛症亦與內鈞相似但虫痛攻心叫哭合眼

嘔吐涎沫清水四肢羸瘦面青黃寒熱沉默不知發作有時爲異耳

一云有吐瀉外搐面青肢冷內臟抽掣腹痛即鈞腸氣然此症多

類驚候但以眼中有紅絲瘀血爲可驗耳

木香丸治驚風內鈞腹痛驚啼

沒藥　木香　茴香　鉤藤各一

全蝎　乳香各五分

右将乳沒另研入諸藥末搗大蒜糊丸桐子大每服二丸

鈎藤燈心湯下

乳香丸 治驚風內鈎腹痛夜啼

乳香五分　沒藥　沉香各一分　蝎稍七个

檳榔一分　為末蜜丸桐子大每二丸菖蒲鈎藤湯下

琥珀丸 治內鈎搐搦反張腹痛及夜啼不安兼治急慢驚風痰涎潮熱昏冒目瞪

神砂　琥珀　殭蚕去嘴炒　牛黃

胆星　乳香　白附炮　代赭石醋煅七次

麝香三分 全蝎炒去毒 天麻煨 蟬蛻

白朮土炒各一ゥ 龍腦一字 爲末蜜凡薄荷湯下

鈎藤膏治驚風內釣腹中極痛偃啼面青肢冷尿如米泔者

乳香 沒藥各三ゥ 木香 姜黃各四ゥ

木鱉肉十一个

爲末蜜調成劑收貯砂礶內量兒大小加减鈎藤煎湯下

或四磨湯一百五化下服

五味木香散

川練肉七个用巴豆三十五粒去皮同炒豆黄去豆　木香

使君子　玄胡索　茴香各一ㄅ

爲末量兒大小加減米飲調下

古芎歸湯治內釣冷痛者　乾姜二ㄅ　肉桂一ㄅ　丁香　沈香各五ㄅ

當歸三ㄅ　川芎二ㄅ　青皮　小茴各五分　煎服

魏朮散

莪朮五ㄅ　阿魏一ㄅ　先用温水化阿魏浸莪朮一

晝夜焙乾爲末每一字紫蘇煎湯或米飲化下

乳香丸 治內釣腹痛驚啼

乳香五分 没藥 沉香各一ク 蝎稍个十四

檳榔一ク半

爲末蜜丸梧子大每一二丸菖蒲釣藤煎湯化下若內釣

陰腫者歸牛散二百五 自鈎藤散以下皆調氣疏風之劑若

驚重者宜定魄丸三百五 以鎮之

盘腸

氣和則升降氣逆則欝結盘腸者原非暴得皆因氣欝積久

臟腑無舒暢築隘腸胃之間抵心而痛氣刺攻冲其症臍上如蛇之形轆々有聲連々而作如猫吐惡乾啼口開手足皆冷腸中滯結小便頻數上唇焦乾頭汗多出面青或黑頭腰必曲不與乳食腹痛眉動或寺沉困氣冷大汗甚至爪甲青黑然此症有成於生下洛遲而感寒或得於姙婦憂愁思慮心氣鬱結至坐草寺又感寒冷與氣相搏而成亦有陰陽二症陰則曲身而大便青沫陽則傴身大叫大便色青乾啼無淚失氣腸鳴如二症交作乃半陰半陽治法宜順氣化痰温

行宣泄而已若遍身氷冷唇臉青顫腹滿乾啼湊心刺痛手足甲黑氣冷大汗者死

一云盘腸痛者因寒鬱小腸腹痛多啼與内鈎相似但盘腸痛則曲腰乾啼額汗爲異

盘腸虫症中風三種俱似内鈎但中風不語爲異耳

調中散 治小兒盘腸氣腹中築痛

青木香　川練子去皮核　没藥　人參

茯苓各五分　肉桂三分　白牽牛二十五粒半生半炒

用葱白二寸鹽一捻水煎食前服
一方治盘膓氣釣
葱一握水蜡湯淋洗晃腹再以葱頻熨晃臍良久尿出端
一方治盘膓氣釣
乳香　木香　没藥　水煎食前服
一古方治盘膓痛曲腰乾啼額汗
白荳蔻　砂仁　青皮　香附
莪术　甘草各等分　爲末紫蘇煎湯下

沉香感應丸 治一切積痛盤腸虫痛痢疾亦宜

沉香　乳香　杏仁　木香

丁香各一匁　肉豆蔻一个　百草霜一分　巴豆十四粒

爲末酒煮過黃臘和丸菉豆大每服四丸姜湯或鈎藤湯下

客忤

客忤者非中鬼惡之謂也因小児氣血軟弱神氣未全心氣不足偶見人客或異物其候驚啼口出青黄白沫水穀鮮雜面色變易腹痛喘急反側瘈瘲脉來弦急而數啼哭不止心

志驚亂恍惚聞響即跳常欲藏避狀似驚癇但此眼下視而不上竄耳治當鎮驚辟邪補心温氣勿用大寒妄作驚風峻下致成慢驚

須視口中左右若有懸癰小小腫核即以竹鍼刺破最宜急治若至四肢疲軟面黑目視無光涎流不收牙噤氣冷者不治

雄黃散 治脾臟冷而痛多夜啼

雄黃一分　乳香五分　射香一字

爲末每一字刺雞冠血調灌之仍以母衣覆身即愈或鍋

藤散四百五　千金龍胆湯四百二　保命丹五百三

外用灶心土蚯蚓等分爲末醋調爲凡磨兒頭及五心名黃土散治卒中客忤

大驚卒恐

小兒忽被大驚卒恐氣血分離陰陽破散經絡厥絶脉道不通尚何寔邪之有豈可例作急慢驚論盖二驚之症一以風熱一以脾胃之虛皆不必由驚而得此以驚恐致困心胆之氣受傷而爲神氣陡離之病所因不同所病亦異也

治太驚氣散之病當以收復神氣爲主宜秘旨安神凡百二十
七福飲百十九團參散百五六獨參湯百五七之類加金銀等物煎
服與茯神湯百五八尤妙

夜寐驚啼

小兒肝氣未充胆氣最怯凡耳聞驟聲目視驟色雖非大驚
卒恐亦能怖其神魂醒寺受怖寐則驚惕或振動不寧或忽
而啼叫皆神怯不安之症
驚哭多淚忽啼忽止者是驚惕啼叫無淚聲長不揚者是腹

痛治亦宜安神養氣爲主如獨參湯百五七團參散百五六七六
飲百十九秘旨安神丸百二十之類若微熱者生脉散百二七熱甚
硃砂安神丸百二八導赤散百五九主之

諒山省巡撫使阮 按察使黎 題助葩銀十五元
原攞攝杜揚縣庚辰科會試黄甲阮廷揚題助鉛錢二十貫